Gilly

grave amoureuse,
13 ans, presque 14,...

Illustration de couverture : Sophie Bouxom

Ouvrage publié originellement par Random House Children's Books
sous le titre : *Letters of a Lovestruck Teenager*
© Claire Robertson 1990

© Bayard Éditions Jeunesse, 2003
3, rue Bayard, 75008 Paris
ISBN : 2 747 007 88 X
Dépôt légal : février 2003

Claire Robertson

Gilly
grave amoureuse, 13 ans, presque 14...

MILLEIME
BAYARD JEUNESSE

Claire Robertson vit dans le quartier branché de Camden Town, dans le nord de Londres. Pour les personnages principaux de son livre, Gilly et Rosalie, elle s'est largement inspirée de sa propre adolescence et des rapports conflictuels qu'elle entretenait avec sa sœur. Claire Robertson l'affirme : « Il y a beaucoup de moi dans Gilly ! Mais elle est plus bavarde et a plus confiance en elle que moi à cet âge… Aujourd'hui, ma sœur et moi sommes les meilleures amies du monde ! »

Claire Robertson travaille dans une importante maison d'édition internationale à Londres. Elle écrit actuellement son deuxième roman, toujours pour adolescents, qu'elle espère terminer avant le printemps prochain.

Pour Elaine Murphy et Lucinda Williams.
Un grand merci à mon éditrice, Alison Berry,
et à M. Horsler du lycée Icknield,
pour leur soutien et leurs conseils éclairés.

Miss Alexa Deerheart, *Filles Mag,*
le 16 janvier

Chère Alexa,

Je vais mourir. Désolée pour ce début drama-tique, mais je suis dans un état... Comme si j'avais été frappée par la foudre, pulvérisée par un coup de tonnerre, jetée à bas de mon petit nuage...

Ce matin-là, tout avait bien commencé. À huit heures, j'ai été tirée d'un rêve délicieux par ma mère qui ouvrait, tranquille, les rideaux sans autre excuse que :

— Il est tard ! On se bouge !

Elle a tiré ma couette, exposant mon corps pâle à la lumière crue. J'avais l'air d'un vampire sous une lampe à bronzer.

Je me suis habillée, comme d'habitude : Doc Martens, socquettes, jupe d'uniforme, plus le Wonderbra rose fluo de ma sœur Rosalie, que j'ai dissimulé sous deux sweat-shirts avant d'enfiler mon immense pull bleu. Par précaution, j'ai ajouté l'écharpe indienne de Tante Paula, drapée sous mon blazer. Plutôt volumineux, le camouflage, mais indispensable ! Rosalie est capable de détecter une chaussette empruntée à 50 mètres — et ça, dans ses mauvais jours !

En m'asseyant à la table du petit déjeuner, je n'étais pas très rassurée. J'ai déjà du mal, en temps normal, à paraître cool. Alors, avec trois sweat-shirts, je ne vous dis pas ! Au début, personne n'a rien remarqué. Rosalie était plongée dans son roman d'amour ; maman surveillait le grille-pain. Après avoir posé les toasts à côté de mon bol de chocolat, elle a reculé de quelques pas et s'est écriée :

— Seigneur, Gilly, tu as vu à quoi tu ressembles ?

Moi, maligne, j'ai répondu :

— Je sens que je vais attraper un microbe. J'ai jugé bon de me couvrir.

— Mais le chauffage marche à fond ! Il doit faire 40 degrés ici !

Je lui ai fait un signe discret pour qu'elle arrête... Trop tard ! Rosalie a bondi et m'a scrutée de la tête aux pieds, comme si j'étais la suspecte numéro un d'une affaire de meurtre.

— Qu'est-ce que tu as planqué là-dessous ? a-t-elle hurlé. Montre !

Bien sûr, j'ai résisté. Elle a failli m'étrangler avec l'écharpe de Tante Paula et, en un rien de temps, l'évidence lui a sauté aux yeux.

— Elle porte mon Wonderbra rose !

À entendre sa voix, on aurait juré que j'avais écorché vif son hamster.

— Enlève ça tout de suite !

Après, c'est allé très vite. Elle m'a jetée par terre et s'est mise à arracher mes fringues tandis que maman criait :

— Du calme, les filles !

N'empêche, recroquevillée sur le carrelage, j'ai dû enlever toutes mes pelures, humiliée à mort. Quand j'en suis arrivée au Wonderbra, Rosalie, triomphante, a ricané :

— Tu es franchement ridicule avec ça ! Tu es plate comme une planche à pain.

Tant bien que mal, je me suis relevée. Suite à la bagarre, la cuisine était un vrai champ de ruines. J'ai glissé sur un truc, et je me suis étalée de nouveau. Quand, enfin, j'ai retrouvé la position verticale, Rosalie a henni de rire : un bout de toast tartiné de Nutella s'était scotché là où aurait dû se trouver mon sein gauche.

Je suppose, Alexa, que vous vous demandez où je veux en venir. Patience : je préfère tout bien vous expliquer avant d'aborder le cœur du problème qui me mine. Car c'est justement ce matin-là que je L'ai vu pour la première fois. J'ai bientôt quatorze ans, et je commençais à me considérer comme une marginale. Toutes mes amies flashent sur les garçons. Et moi ? Rien ! Pas le moindre battement de cœur. J'ai justifié ça par le fait que je suis féministe. Présidente du CAFCA — Comité d'Action Féministe du Cours Apollinaire —, j'ai tendance à associer les mecs aux insectes. Judy Fry, elle, prétend que mon indifférence est due à mon absence de seins : c'est *ça* qui déclenche le grand frisson, selon elle. De toute façon, ça ne me gênait pas. Jusqu'à maintenant.

Donc, je me rendais à mon école privée, seule, comme toujours. Personne de ma classe n'habite près de chez moi. Une chance ! Moins ils sont à voir ma maison, mieux je me porte. C'est une sorte de manoir entouré d'un jardin, avec des LANTERNES, complètement ringard. Pas étonnant que je fasse un complexe d'infériorité !

J'ai retrouvé ma meilleure amie, Annie, devant les grilles. Annie est minuscule ; avec ses boucles rousses, on dirait qu'elle a neuf ans. Ce qui fait mon affaire : quand on est ensemble, avec mon 1 mètre 52, je peux presque passer pour une femme sophistiquée, plus âgée et dotée de longues jambes.

— Salut, Gilly ! m'a lancé Annie. Week-end sympa ?

— Top de chez top !

(Référence à la visite de Mamie Freeborn, qui nous a récompensées, Rosalie et moi, de 5 livres chacune, sous prétexte qu'on est des amours.)

— Et pas top du tout, ai-je poursuivi en songeant à l'épisode du Wonderbra, que je lui ai aussitôt raconté.

Je voulais le porter à la réunion du CAFCA, prévue en fin d'après-midi. C'est Annie et moi qui l'avons fondé. On n'a pas encore trop de recrues — quatre filles de notre classe, dont une certaine Phyllis Bean, qui est un peu demeurée. J'apprécie quand même sa présence parce qu'elle est serviable et bave d'admiration devant nous.

Bref, Annie et moi avions pris nos places à la chapelle et entonné un cantique de nos voix de sopranos quand le principal est entré, suivi d'une *apparition*. J'ai d'abord cru que ce cher vieux Pennings avait pété les plombs et invité une rock star à écouter notre chœur céleste. Puis j'ai remarqué que l'apparition portait... l'uniforme de l'école ! Ou, du moins, le blazer, notre établissement étant plutôt progressiste.

Eh bien, je le jure, la chorale entière s'est tue ! Judy Fry — 100 % cool d'habitude — a failli se rompre le cou en le dévissant à 45 degrés pour observer le nouveau venu. Et alors, oh Alexa ! en avançant vers nous, il m'a regardée et a souri. D'accord, c'est peut-être le fruit de mon imagination. Ce pouvait être une grimace à la vue de Phyllis Bean, debout à mon côté, et qui bavait.

Depuis, je suis torturée par le doute. En tout cas, sourire ou grimace, c'était dans ma direction. Ce que j'essaie de dire, c'est qu'il m'a *vue*. Et voilà que je suis obsédée par une effroyable ritournelle qui me vrille le crâne : « Elle n'a pas de seins ! Elle n'a pas de seins ! »

Le soir, j'ai annulé notre réunion. Il s'appelle Jonathan O'Neil. Il a des cheveux bruns et bouclés, brillants. Il mesure 1,80 m (au moins). Des yeux de velours sombre, des mains splendides. J'en ai des frissons partout : dans les bras, les jambes, la poitrine ; sans cesse : en cours, à la gym, au vestiaire, et dans mon lit, d'où je vous écris. Alexa, il est absolument essentiel que mes seins poussent, et vite. Je vous en supplie, aidez-moi !

Merci d'avance.

Une lectrice aux abois, Gilly Freeborn.

Le 24 janvier

Chère Alexa,

Merci bien ! Vous m'avez filé un sacré coup de main ! Ça m'a drôlement réconfortée d'apprendre qu'« un tas de filles n'ont pas de seins et s'en portent à merveille ». Grand bien leur fasse ! Laissez-moi vous dire que cette nouvelle m'a fait l'effet d'un ballon crevé. OK, à terme, je réaliserai des économies de sous-vêtements, mais ça ne me console qu'à moitié... Tâchez de trouver mieux.

La situation devient critique : Judy Fry m'a invitée à une fête chez elle dans trois semaines. Il sera là ! J'ai besoin de conseils, et vite.

J'attends votre réponse au plus tôt.

Gilly Freeborn, au désespoir.

P.S. Est-il possible d'être passionnément féministe et effroyablement amoureuse ? Annie juge ça malsain.

Le 31 janvier

Chère Alexa,

Merci pour votre gentille lettre. Désolée d'avoir été désagréable, mais je me sentais vraiment désespérée. À mon avis, on a inventé l'âge de quatorze ans pour torturer les ados afin qu'ils sachent que ce n'est pas une partie de plaisir, de devenir adulte. Le problème, c'est qu'on ne sait rien. Vous ignorez si votre nez ne va pas recevoir une dose massive d'hormones, et si vous n'allez pas vous

retroussé les manches de son blazer, il portait un jean noir, sa chemise était ouverte, dévoilant son superbe bronzage. J'en ai eu le souffle coupé. Et il fallait que je me trouve près de Phyllis, qui dégoulinait de saucisse ! Il a dû croire que c'était ma meilleure amie, ou ma cousine.

Comme par hasard, Judy Fry a alors surgi, telle Scarlett O'Hara dans *Autant en emporte le vent*. On lui aurait donné dix-sept ans avec ses mèches blondes et sa façon de tortiller des hanches. Aussi cool qu'un frigo en pleine canicule, elle est passée au ralenti devant SA table. Le silence s'est abattu sur la cantine. Jonathan ne l'a pas quittée des yeux jusqu'à ce qu'elle arrive au comptoir. Et là, d'une voix troublante, elle a demandé : « Juste une salade verte ! »

— Pitié, regarde-moi ça ! a gémi Sarryan.

La situation était sans espoir.

J'ai passé l'après-midi dans un état d'abattement absolu. On avait biologie avec Pennings. Il pérorait à propos de protoplasmes, membranes et autres vacuoles — le genre de trucs hyper utiles pour notre avenir.

Donc, j'avais les yeux rivés sur mon livre, aveugle et sourde. Ensorcelée par l'image obsédante de Judy Fry dansant avec LUI à Manhattan Lights — un club où je ne serai jamais autorisée à entrer, pour tout arranger ! Puis mon rêve a dérivé sur moi.

Je porte une minijupe en cuir noir et le Wonderbra rose fluo de Rosalie ; j'ai des seins hauts et des jambes interminables ; mes cheveux blonds aux reflets dorés encadrent joliment mon visage. Il flotte autour de moi une aura lumineuse. Soudain, la musique s'arrête, tout s'arrête. La foule, tétanisée, murmure :

— C'est Gilly Freeborn !

IL lâche le bras de Judy Fry et me contemple, ébloui...

C'est alors que la voix râpeuse de Pennings s'est immiscée dans ma vision, telle une corne de brume au milieu d'une symphonie :

— Gilly Freeborn, pourriez-vous nous indiquer la différence entre protoplasme et nucléon ?

J'ai réendossé, vite fait, ma jupe et mon pull bleu en acrylique et dit :

— Eh bien, là est toute la question !

— En effet, jeune fille ! Et si vous aviez écouté au lieu de vous lire les lignes de la main, vous sauriez la réponse. Le nucléon est la particule constitutive du noyau atomique, de charge électrique positive, autour duquel les autres éléments s'assemblent. Le protoplasme est une substance gélatineuse incolore qui constitue...

Voilà qui résout tout ! Avouez, Alexa, que ça vous en bouche un coin !

Par chance, la cloche a sonné. Annie et moi sommes allées récupérer nos tomates farcies – qui ressemblaient à des boules de billard atteintes d'hydropisie – avant de nous sauver.

En chemin, je *les* ai vus. *Elle* était adossée au mur, dans une pose languissante, comme si c'était la chose la plus naturelle du monde, et, horreur, *Il* lui faisait face, les mains plaquées de chaque côté d'elle. L'image s'est incrustée dans mon esprit, où elle repasse sans cesse comme une vidéo en accéléré. Annie bavassait au sujet du CAFCA, se plaignait que je supprimais les réunions... Je ne l'écoutais pas, j'en étais incapable. Mon visage devait briller comme un lampadaire, et plus on approchait, plus ça me brûlait. J'avais les jambes en compote et la chair de poule. Quand on est passées devant eux, Judy m'a lancé :

— Salut, *Gilly* !

Elle l'a fait exprès. Elle sait. Elle sait ! Et à l'instant précis où elle prononçait mon nom, dévoilant ainsi mon identité, une des tomates farcies, qui avait percé le sac en papier, s'est écrasée — splash ! — sur le trottoir.

— Filons ! ai-je soufflé en détalant au pas de course.

Annie m'a rattrapée devant la confiserie. On a marché en silence pendant trois minutes avant qu'elle se décide à ouvrir la bouche :

— Qu'est-ce que tu as ? Ce n'est jamais qu'une tomate !

— Je n'ai rien !

— C'est moi ? J'ai gaffé ou quoi ?

Je vous jure, elle ne pige pas vite. Enfin, ça a fait tilt, et elle a repris :

— Tu ne serais pas amoureuse de lui ?

— Bien sûr que non !

— Alors, pourquoi tu es toute retournée ?

— Je ne suis pas toute retournée, lâche-moi.

— N'empêche, tu es bizarre !

— Je ne suis pas *bizarre* ! ai-je aboyé, hargneuse.

Un silence pesant s'est installé entre nous. Je marchais, la tête basse, en songeant que je vivais la pire journée de mon existence.

— Je croyais que tu détestais les hommes, a soudain déclaré Annie. J'espère que tu ne vas pas devenir une oie sentimentale. Pense au CAFCA ! On ne peut pas être féministe et rêvasser à un... un... un poseur !

Vous voyez, Alexa, Annie a toujours été ma meilleure meilleure amie. Sans moi, elle n'aurait jamais eu l'idée de devenir féministe. Et là, je me dis que je vais devoir me débrouiller seule. Aussi dramatiquement seule qu'Isabella dans *Les Hauts de Hurlevent*.

Que faire ? Y a-t-il le moindre espoir ? Écrivez-moi vite. Je m'attends au pire !

Bien à vous,

Gilly Freeborn.

Le 5 février

Chère Alexa,

Oui, je comprends, les meilleures amies, c'est important. Oui, j'admets qu'un jour Jonathan O'Neil risque de n'être plus qu'une piqûre d'épingle dans la trame de ma mémoire (on étudie les métaphores en ce moment), tandis qu'Annie demeurera à jamais ma confidente chérie. Je veux bien croire que dans une semaine, un mois, un an, je n'échangerai pas une tomate farcie contre

Jonathan O'Neil. Je veux bien croire que, une fois adulte, je vais considérer tout ça comme un délire d'ado givrée. Mais en attendant ? L'amour a étreint mon cœur de sa poigne de fer. Je ne m'appartiens plus.

Annie est passée hier. L'ambiance était plutôt tendue. Assise sur mon lit, elle balançait les jambes en énonçant des banalités du style : « Ce couvre-lit est joli… Je crois bien qu'il pleut…», etc.

Et moi : « Rosalie a trouvé un job le samedi, chez ZAP… Leurs fringues sont hors de prix… Je n'avance pas beaucoup avec *Les Hauts de Hurlevent*… » Et bla-bla-bla…

Puis Annie a parlé de Phyllis, disant qu'on devrait être plus gentilles avec elle, essayer de trouver ses qualités cachées. J'ai répondu que je me demandais si son acné était contagieuse. Elle a répliqué :

— Et alors ? Un peu d'acné n'a jamais tué personne. Ce qui compte, c'est l'intérieur.

Ce genre de réflexion m'évoque toujours des intestins. Les miens pourraient bien être verts et pleins de nœuds partout, pour ce que j'en ai à faire.

Annie a poursuivi :

— Tu as peur que ton « chéri » ne t'aime plus si tu as de l'acné ?

La chose la plus vache qu'elle m'ait jamais dite ! Je lui ai renvoyé :

— Ne sois pas stupide ! Je me fiche de perdre mes cheveux et d'avoir des dents pourries, vu que je ne m'intéresse pas une seconde à Jonathan O'Neil.

Ce qui était — vous êtes bien placée pour le savoir — un énorme mensonge. Le genre de mensonge qui vous fait rougir de honte parce qu'il ne trompe personne.

Annie m'a regardée droit dans les yeux. Elle a déclaré qu'elle n'irait pas à la fête de Judy ; elle supposait que je n'irais pas non plus puisque je ne m'intéresse pas à Jonathan O'Neil ; et à quoi bon se mêler à une bande de pauvres mecs, hein ?

J'ai marmonné que j'y passerais peut-être, juste pour voir à quoi ressemble la maison de Judy. Avec un petit sourire supérieur, elle a fait :

— Oh, *vraiment* ? Hum, hum...

Elle commençait à me taper sur les nerfs. Sous prétexte qu'elle n'a pas encore développé la sensibilité d'une jeune adulte, elle veut me rabaisser à son niveau. Du coup, je lui ai lancé que Sarryan m'avait demandé de les accompagner, Emmy et elle, chez Judy, et que je ne pouvais pas les laisser tomber.

Là-dessus, Annie a donné un coup de genou dans ma pile de *Filles Mag*, qu'elle a renversée. Puis elle a filé en grommelant un truc du genre : « On dirait bien que le féminisme est mort dans cette maison. »

J'ai passé le reste de l'après-midi à réaliser des affiches. Le texte dit : LE COMITÉ D'ACTION FÉMINISTE DU COURS APOLLINAIRE A BESOIN DE VOUS. REJOIGNEZ-NOUS ! L'UNION FAIT LA FORCE DES FILLES !

Soudain, ça m'a paru nul — cinq ou six ados de plus, militant pour obtenir davantage de toilettes ou le droit de jouer au rugby... Qui a envie de jouer au rugby, d'ailleurs ? Je veux dire, on prend des coups, on est couvert de boue, beurk !

J'ai alors décidé d'adhérer à un mouvement pur et dur ; un qui aurait de l'influence et où je pourrais enfin changer la condition des jeunes femmes du nouveau millénaire. J'ai écrit *illico* aux Féministes Radicales en leur demandant si la motivation et les idées brillantes d'une fille de presque quatorze ans pouvaient les intéresser. Ha ! On verra bien ce qu'Annie pense de ça !

Samedi après-midi. Ça va mal, Alexa, mal, mal, mal ! Je ne vois pas comment Annie et moi pourrions redevenir amies. Après le déjeuner, papa a diagnostiqué chez moi une « déprime passagère », suggérant que je devrais me défouler en jouant de la batterie, comme il le faisait à mon âge pour se changer les idées. Maman lui a rétorqué que c'était une solution infantile et que j'allais casser les oreilles du voisinage. Rosalie a ajouté son grain de sel, me traitant de « fille prépubère en pleine crise d'angoisse, obsédée par son ego », et prétendant que, en plus, j'avais un énorme bouton sur le nez — ce qui était faux. Moi, dans ma tête, je hurlais : « Vous ne pourriez pas tous la fermer et ficher le camp ailleurs, en Mongolie, voire plus loin ? »
Je suis retournée dans ma chambre, j'ai fermé les rideaux et médité dans le noir pendant une bonne demi-heure. Alexa, inutile de répondre à cette lettre. Je dois m'assumer seule et réagir d'ici

samedi prochain. Pas question de me rendre à cette fête en fille prépubère angoissée et obsédée par son ego ! Non, pas question !

Tristement à vous,

Gilly Freeborn.

Le 11 février

Chère Alexa,

Voici la photocopie de la lettre que j'ai reçue hier.

Chère Miss Freeborn,

Merci de l'intérêt que vous portez à notre organisation. Nous sommes absolument ravies d'apprendre qu'il existe de jeunes personnes motivées, prêtes à rejoindre notre combat pour une vraie parité – un combat de longue haleine, hélas ! Toutefois, dans la mesure où il nous arrive d'engager des actions très radicales en faveur de notre cause, nous sommes dans l'obligation de limiter les adhésions aux plus de dix-huit ans.

Je regrette sincèrement d'être contrainte à refuser votre offre. Mais j'espère que vous me contacterez, une fois majeure, car on n'a jamais trop de jeunes recrues enthousiastes. Entre-temps, puis-je vous suggérer d'utiliser votre énergie au plan local ? Vous pourriez créer un comité dans votre école. Militez pour l'égalité dans le sport ; battez-vous pour un accès paritaire au matériel informatique ; exigez d'étudier des textes écrits par des femmes…

Il y a tant de travail de terrain qu'une jeune fille idéaliste peut mener à bien !

Poursuivez la lutte !

Sincèrement vôtre,

Henrietta Boyce Philips,
Secrétaire générale.

L'ironie de la vie ! La condescendance des gens, je rêve ! Toutefois, ça m'a décidée à radicaliser le CAFCA en l'engageant dans des projets vraiment sérieux. J'ai emporté la lettre en classe, et j'en ai lu des extraits à Sarryan, de façon qu'Annie puisse entendre.

— Les Féministes Radicales nous soutiennent, ai-je conclu. Pourquoi ne pas créer un comité spécial chargé de définir nos objectifs ?

Rouge brique, Annie s'est levée avec une extrême lenteur, me fixant avec ce petit sourire ironique qui devient habituel chez elle.

Je suis décidée à m'occuper de tout ça aussitôt après la fête, dès que j'aurai le temps d'y réfléchir à tête reposée. J'envisage d'écrire un discours.

Mon moral remonte. Sarryan doit me prêter son pantalon taille basse en cuir noir pour la fête. On est cinq à y aller. Cinq à souhaiter que Judy Fry soit victime d'une éruption d'acné purulente juste avant sa soirée, afin de nous laisser le champ libre. Mais je suis la seule à sentir que mon estomac devient un volcan à la simple pensée que je vais me trouver dans la même pièce que LUI. Que je pourrai même, éventuellement, le toucher, par accident, bien sûr. Que, sans mon uniforme et débarrassée de ce pot de colle dégoûtant de Phyllis, il me verra d'un autre œil. Peut-être même qu'il dansera avec moi – de plus grands miracles se sont déjà produits, comme la découverte de la pénicilline ou l'invention du téléphone. Et, qui sait ? il va peut-être se rendre compte que Judy n'est rien d'autre qu'une coquille vide, munie de jambes et de cheveux.

Il y a tant et tant de possibilités ! Ce qui m'amène au but de cette lettre. Alexa, existe-t-il *quoi que ce soit* que je puisse faire pour avoir l'air sophistiquée, plus âgée, plus grande, plus irrésistible ?

Vôtre,

Gilly Freeborn.

Le 16 février

Chère Alexa,

Bientôt samedi. Maman est d'accord pour la fête ; papa aussi. Même Rosalie semble avoir décrété une amnistie, et elle m'épargne ses sarcasmes. Voilà trois jours qu'elle ne m'a pas traitée d'amibe attardée. Cette trêve est sans doute due à son état de léthargie provoqué par un certain Greg, qu'aucun de nous n'a encore entrevu. À moins qu'ils aient tous compris combien c'était important pour moi, et que j'avais besoin qu'on me fiche la paix.

Alors, j'ai la pêche. Pourtant, il me reste deux problèmes à régler. Le premier : côté poitrine, rien ! Pas le moindre signe de croissance. J'avais décidé de suivre votre conseil et de porter quelque chose de large avec des trucs qui flottent par-dessus — deux écharpes feraient l'affaire — ; mais ça ne sert qu'à camoufler le problème, n'est-ce pas ? Un jour où l'autre, il faudra bien l'attaquer de front si rien ne se produit.

Ma seconde inquiétude concerne votre recommandation de me montrer « patiente, confiante, et de voir venir ». Votre avis est sensé, sauf que j'ignore comment je vais réagir s'il se passe quoi que ce soit. Vous voyez, je n'ai jamais embrassé personne, aussi incroyable que ça puisse paraître à presque quatorze ans. Jusqu'à maintenant, comme je vous l'ai signalé, je pensais qu'il n'y avait pas le feu au lac. Et là, il m'est venu une idée : je pourrais tenter le coup, le soir de la fête, avec un garçon insignifiant, histoire de savoir comment m'y prendre quand le grand moment arrivera. Rien de plus, bien sûr. J'essaie simplement d'assumer les choses de la vie.

En classe, on n'a pas de cours d'éducation sexuelle. Allez savoir pourquoi, le Cours Apollinaire a fait l'impasse là-dessus. Quand j'avais onze ans, Judy Fry – déjà précoce à l'époque – m'en avait touché quelques mots.

« Comment, tu n'y connais rien ? » s'était-elle écriée. Et elle s'était régalée à entreprendre mon éducation en me dévoilant des trucs sordides, dans les moindres détails. Elle m'a même fait un croquis. Je dois dire que j'étais horrifiée. Ça paraît incroyable que des êtres humains qui n'ont jamais causé de tort à personne soient obligés de se soumettre à une humiliation aussi dégradante, juste par désir d'avoir des enfants.

Ce soir-là, j'en avais parlé à maman, pensant qu'elle me conseillerait de ne pas ajouter foi à de telles âneries. C'était sûrement le genre de cochonneries qu'adorent raconter des gamines qui n'y connaissent rien ! Mais elle a continué à nettoyer les feuilles de notre caoutchouc sans même lever les yeux de sa tâche. Enfin, elle a fini par dire :

– Eh bien, Gilly... Eh bien...

Et elle a admis que c'était EXACT ! Quoique bouleversée par cette révélation stupéfiante, je n'allais pas me laisser abattre. J'ai pensé à Tiffany dans cette série télé, et j'ai lancé, triomphante :

— Alors, si c'est vrai, pourquoi les gens qui ne veulent pas de bébé le font aussi ?

Maman a rougi comme une tomate en répondant :

— Heu... Eh bien... Ils le font parce qu'ils aiment ça.

— ILS AIMENT ÇA ?

— Oh là là, ce que tu es naïve ! a ricané Rosalie.

— Mais je parie que la reine ne le fait pas, elle !

Je n'allais pas accepter ma défaite comme ça. Sauf que papa, dont je n'avais pas remarqué la présence, s'est mis à hurler de rire. J'ai trouvé qu'il en rajoutait : il a failli tomber du canapé à la pensée de notre monarque soumise à cette humiliation. Puis, allez savoir pourquoi, il m'a embrassée en disant :

— Gilly, tu es un vrai trésor.

Aujourd'hui, je n'en sais pas davantage. Alors, j'ai un affreux soupçon : y aurait-il un rapport avec ces spasmes à l'estomac qui ne me quittent plus ? En tout cas, c'est décidé, moi, je ne ferai jamais ça. Ja-mais. Le moment venu, j'aurai recours à l'insémination artificielle, et c'est moi qui vous le dis !

Bien à vous,

Gilly Freeborn.

Le 19 février

Chère Alexa,

Depuis la soirée d'hier, je plane ! J'en reste sans voix. Du coup, je vais tout écrire pour ne rien oublier. Maman me trouve « délicieusement romantique ». Rosalie me regarde d'un air soupçonneux. Elle va vérifier sa penderie toutes les cinq minutes, au cas où mon état de béatitude serait dû à l'emprunt d'un sous-vêtement quelconque. Quant à papa, il n'est pas bavard ces temps-ci. Il n'ouvre la bouche que pour proférer des jurons, ce que je trouve indélicat en présence d'une jeune personne sensible.

Donc, vous l'avez sans doute deviné, hier était le jour de la fameuse fête. J'ai passé l'après-midi en ville, où j'ai acheté du fard à paupières pailleté et des boucles d'oreilles en argent – accessoires indispensables pour un look sophistiqué. En rentrant à la maison, j'ai rencontré Emilie, et on s'est offert des gâteaux à la pâtisserie. On a parlé de ce qu'on allait porter ; de la tenue probable de Judy Fry ; des gens qui seraient là ; qui sortirait avec qui, etc. Et dire qu'Annie allait rater tout ça, juste parce qu'elle est jalouse et têtue !

Ça m'a pris une bonne heure et demie pour me préparer. La totale : fard à paupières pailleté et mascara, longues boucles d'oreilles argentées et blush. Des baskets neuves avec des socquettes roses, le pantalon noir de Sarryan, un T-shirt bleu très ample (neuf) et trois écharpes en soie (deux empruntées à maman, plus une rayée que Tante Paula avait oubliée lors de sa dernière visite éclair). Ensuite, j'ai tiré mes cheveux en arrière et vaporisé dessus du gel pailleté. Le résultat était saisissant : impossible de ne pas me remarquer, à moins d'être un myope bigleux atteint de conjonctivite aiguë.

Sarryan est arrivée à huit heures. Elle portait une veste pelucheuse rigolote sur une petite robe noire avec un trou dans le dos, des collants noirs brillants et des chaussures à talons. Sarryan est la seule fille de notre classe vraiment cool : ses cheveux d'un noir d'encre sont hérissés comme un porc-épic, et elle a trois anneaux à l'oreille gauche. Je l'ai trouvée super, mais maman avait l'air de se demander si c'était bien raisonnable de laisser sa petite fille sortir avec cette femme fatale. Elle n'apprécie pas trop Sarry sous prétexte qu'elle vit dans un loft, ce qui est l'excuse la plus stupide que j'aie jamais entendue pour ne pas aimer quelqu'un.

Maman a demandé à quelle heure elle devrait venir nous chercher, et j'ai dit que c'était inutile parce que le frère de Sarry nous ramènerait. Maman a répliqué qu'à sa connaissance Sarryan n'avait pas de frère, et qu'en conséquence papa viendrait en personne, un point c'est tout.

Alors j'ai sommé mon père de ne sonner à la porte *sous aucun prétexte*, et d'attendre trois maisons plus bas à minuit et demi précises. Je lui ai dit que, même si on était un peu en retard, il devrait *patienter*, on finirait bien par arriver. Et si jamais il était *contraint* d'entrer parce que le toit serait en feu ou la maison envahie par une bande sauvage de hooligans déchaînés, il devrait prétendre être chauffeur de taxi. Qu'il n'y avait *pas de discussion possible*, vu que je suis la seule fille de presque quatorze ans dont les parents n'ont pas évolué avec leur époque et vivent toujours comme en 1876.

À ma grande surprise, maman m'a embrassée en murmurant que j'étais adorable. Et quand Rosalie a débarqué de son boulot chez ZAP, Maman lui a lancé un de ses regards qui signifient : « Défense de dire un mot ; défense d'ouvrir la bouche ! » Ce dont je lui ai été reconnaissante, car je n'aurais pas supporté le moindre commentaire sarcastique. J'étais aussi tendue qu'une corde de violon.

À notre arrivée, j'étais tellement dans le brouillard que je n'ai distingué que des ombres floues dans l'entrée. La sono marchait à fond la caisse, avec ces percussions qui vous vrillent les tympans tel un marteau piqueur. J'éprouvais un sentiment d'exaltation mêlée de pure terreur.

IL était là. Quelque part, dans cette masse en effervescence, son corps était là, accessible au regard et – plus important encore – au toucher. Une épaule effleurée par hasard, un bref contact restaient dans le domaine du hautement possible.

Sarryan a filé droit à la cuisine, comme quelqu'un qui sort tous les soirs et qui sait exactement comment se comporter. Paniquée, je me suis plongée dans l'exploration de mon sac pendant des heures. Enfin, Sarry est revenue avec deux gobelets de boisson, et elle s'est dirigée vers le salon – moi et mon complexe d'infériorité sur ses talons.

La première chose que j'ai vue, c'était sa silhouette splendide. J'ai cru que mon cœur allait exploser et jaillir de ma poitrine. Il portait un blouson de cuir noir sur un T-shirt à l'effigie d'Elvis et un 501. La seconde chose que j'ai vue, c'était cet éclair rouge scotché à lui. Judy Fry dans une minirobe en lycra écarlate ! Ils dansaient si soudés l'un à l'autre qu'on aurait pu croire qu'ils se livraient à une expérience de fusion électromagnétique. Le temps qu'on se gare contre le mur, Judy a pivoté sur elle-même, envoyant valser ses longs cheveux blonds, et elle m'a fusillée de son regard bleu qui disait : « Gilly Freeborn, tu pourrais aussi bien creuser un trou jusqu'en Australie et t'y enfouir. »

Une minute plus tard, mes pires craintes se sont réalisées. Sarryan a DISPARU. Elle s'est littéralement évaporée ! Elle dansait avec Michael Barnes... Et je me suis retrouvée seule, telle une ortie envahie de pucerons. Personne ne faisait attention à moi ; personne ne me regardait ; pas la moindre connaissance à l'horizon. Alors, je me suis mise en quête d'Emilie.

Je l'ai trouvée à la cuisine, où elle discutait avec un garçon en cuir noir. Je l'ai jouée décontractée, criant :

— Coucou, c'est moi !

Mais elle a juste fait :

— Oh, salut, Gilly !

Puis elle s'est détournée, me laissant en plan comme si j'étais la championne du monde de la ringardise. Pas de : « C'est ma copine Gilly » ; ni de « Super soirée, hein ? » ; ni de « Tu es superbe ! » ; rien. Quand on pense que l'après-midi même on avait partagé des gâteaux et des confidences ! C'est à vous dégoûter de l'amitié.

Partout, les gens s'embrassaient, dansaient, bavardaient. Impossible de me planquer dans un coin tranquille pour l'observer, lui. J'ai erré de pièce en pièce, l'air de chercher quelqu'un, en songeant : « Dire que je dois supporter ça pendant encore trois heures ! Quelle humiliation ! »

J'ai réussi à tuer une heure en faisant la queue aux toilettes. Ensuite, vous savez quoi ? je suis montée à l'étage, et je me suis réfugiée dans un dressing-room au milieu des manteaux. Pathétique ! Jamais je ne m'étais sentie aussi ado-prépubère-obsédée-par-son-ego. Je revoyais le film à l'envers : l'excitation des préparatifs, l'achat des boucles d'oreilles... Atroce ! J'ai fini par éclater en sanglots, blottie contre un imper tandis que cinquante personnes s'éclataient en bas, se fichant éperdument de Gilly Freeborn.

Au bout d'une heure et demie, j'avais décidé d'expulser Sarryan et Emilie du CAFCA pour « conduite inconvenante à la cause ». J'avais réintégré Annie à son poste de « meilleure amie du monde ». C'est alors que la porte s'est ouverte, et j'ai reconnu la voix de Sarryan.

— Elles doivent être là, a-t-elle dit en fouillant parmi les manteaux.

« Il ne manquait plus que ça », ai-je pensé, paniquée à l'idée qu'elle me découvre.

Par chance, elle a vite trouvé ce qu'elle cherchait — ses clopes — et elle en a allumé une en lançant :

— Je me demande où est passée Gilly. Elle semblait nerveuse...

À quoi cette traîtresse d'Emilie a répliqué :

— Oui, je l'ai croisée en ville, excitée comme une puce. Le problème, c'est qu'elle fait vraiment gamine. Ça m'étonnerait qu'un garçon s'intéresse à elle.

Alors là, c'était trop ! Même si je me sentais aussi irrésistible qu'un perroquet eczémateux à l'haleine fétide, il n'était pas question qu'elles s'en rendent compte. Sitôt la porte refermée, j'ai émergé de ma tombe, lissé mon pantalon, essuyé le mascara qui avait coulé partout. Face à la glace, j'ai proféré d'une voix ferme :

— Tu es presque jolie. Franchement, tu n'es pas mal du tout !

Et j'ai décidé de passer *illico* au plan du baiser expérimental. Telle une princesse de conte de fées, j'allais embrasser le premier garçon croisé en chemin.

Wayne Cross ! Pas si mal ! Penché sur la balustrade, il semblait un peu perdu, un peu minus aussi ; mais il ferait l'affaire, d'autant que tous les mecs passables étaient pris. Il a d'abord paru surpris par l'intérêt soudain que je lui manifestais : que pensait-il de la soirée, de la vie en général et de la planète en particulier ? Puis, tout à coup, il m'a attirée contre lui. Suivit l'expérience la plus dégradante qu'on puisse imaginer.

Il m'a plaquée au mur et s'est mis à me lécher la bouche, en bavant, avec des bruits de succion d'un bouledogue enragé. J'ai tenté de me dégager, mais son visage était scotché au mien, et des torrents de salive me dégoulinaient sur le menton pour former une mare dans mon cou. Il poussait des grognements, et sa main s'aventurait dans le labyrinthe de mes écharpes. « Ha ! Manque de bol, mec, y a rien à voir ! Et même si j'avais des seins, tu serais bien la dernière personne à qui je permettrais de poser ses sales pattes dessus. »

Il devait être à bout de souffle, car il s'est écarté une seconde, le temps de prendre une bouffée d'oxygène. J'en ai profité pour tourner la tête. Alors – vous n'allez pas le croire ! – il a entrepris de me lécher l'oreille ! Franchement ! Votre premier baiser est supposé être une expérience poétique, poignante, bouleversante. Pourquoi ne m'a-t-on pas prévenue qu'on courait le risque d'être inondé par la salive d'un pauvre type ?

Bref, j'en ai eu marre. Marre de cette fête, marre de Sarryan et Emilie, marre d'être « patiente, confiante », et d'attendre que les choses arrivent d'elles-mêmes. Je me suis libérée, j'ai dévalé l'escalier en enjambant les gens qui y étaient assis et bondi dans l'entrée. Je me dirigeais vers la cuisine quand la porte du salon s'est ouverte dans mon dos et IL en est sorti. Je ne le voyais pas, mais je sentais sa présence. Je sentais ses bras musclés et bronzés, ses longues jambes. Le couloir était d'une lumière douce, il avançait vers moi, il me touchait. Alors, il s'est passé une chose merveilleuse ! JE SUIS TOMBÉE DANS LES POMMES ! Ma séance avec Wayne avait dû me donner le vertige, car j'ai trébuché sur Michael Barnes enlacé avec Sarryan, et ma tête est allée buter contre la rampe d'escalier.

— Dégagez la voie ! Je crois qu'elle est en état de choc !

Dans mon état semi-comateux, j'ai reconnu SA voix grave. « En état de choc ! » Ces mots résonnaient en moi avec l'intensité d'un poème lyrique.

On m'a relevée et, bien que reprenant assez vite mes esprits, je suis restée comateuse. J'ai blotti ma tête au creux de son bras, arborant une expression que je souhaitais angélique, de celles qui rendent un homme fou de tendresse. Les yeux fermés, j'ai deviné qu'on rallumait la lumière, que les couples se désenlaçaient pour faire cercle autour de moi. Judy Fry a dit :

— Ce n'est rien, elle va revenir à elle dans une minute.

Je percevais les ondes de haine qui émanaient d'elle, un bombardement de rayons laser brûlants. Revenir à moi ? Je m'en suis bien gardée ! C'était la dernière chose à faire. IL me tenait dans ses bras. Oh, d'accord, pas au sens habituel du terme, mais côté frissons, ça le faisait, je vous jure. Un million de papillons bourdonnaient dans tout mon corps, interprétaient les Concertos brandebourgeois en y mettant toute leur âme. En une seconde, j'ai compris le sens des mots : « béatitude », « ravissement » et « paradis ».

Il m'a déposée doucement sur le canapé ; il a tendrement écarté les cheveux qui me tombaient sur les yeux. Alors, quelque part au milieu de ce déchaînement de bonheur, j'ai entendu la sonnette retentir, suivie d'un « Taxi pour Miss Freeborn ! » lancé d'une voix familière. Puis, il y a eu l'expression « en état de choc », prononcée par SA bouche à LUI, à quoi il fut répliqué :

— Oh, Seigneur Dieu ! Où est-elle ? A-t-on appelé une ambulance ? Qui est le coupable ?

Il en faisait un peu trop pour un chauffeur de taxi censé ne me connaître ni d'Ève ni d'Adam...

J'ai jugé urgent de réagir. Je me suis assise, l'air dans les vapes ; j'ai ouvert un œil flou sur mon père, qui m'a soutenue pour gagner le couloir tandis qu'IL lui expliquait mon malaise subit.

À la porte, Sarryan et Emilie se sont précipitées vers moi, inquiètes :

— Tu es sûre que ça va, Gilly ? On se voit lundi !

J'ai décidé qu'elles étaient géniales ; que la vie était géniale ; que tout, absolument tout, était merveilleux à un point ahurissant.

Bon, pour faire court : après un début sinistre, cette soirée a dépassé mes plus folles espérances.

Après que maman et papa se sont assurés qu'on ne m'avait ni droguée, ni saoulée, ni abusée, j'ai passé le dimanche dans cet état exquis de rêve paradisiaque. Rien ne pouvait m'atteindre, même pas Rosalie prétendant que je ressemblais à un arbre de Noël dans un conte de fées.

Alors, Alexa, qu'est-ce que vous dites de ça ? Le destin m'a offert un as de cœur. Les choses pourraient bien changer pour de bon.

Votre Gilly Freeborn, en extase.

Le 21 février

Chère Alexa,

La cata ! On dirait bien que je n'ai laissé aucune trace romantique dans la mémoire de Jonathan O'Neil. Pas la moindre. Lundi matin, chorale, comme toujours. J'espérais au moins un « Salut ! » plein de sous-entendus, ou un échange de regards complices. Il n'a pas tourné la tête vers moi. Je coassais lamentablement «Allège mon angoisse... » tandis que mon cœur dégringolait au fond de mes Doc Martens.

J'ai traîné dans le couloir pour lui donner une dernière chance de se souvenir des liens créés entre nous par le destin. En vain. Il a disparu dans la salle d'informatique. Comme ça ! C'est à peine croyable.

La mort dans l'âme, je suis allée à mon cours d'art, la matière que je préfère. Aujourd'hui, j'ai passé une heure sur le sujet imposé : « Portrait de jeune fille aux coquelicots », pour aboutir à « Elephant Woman avec tomates ». Ellen Pugh, mon modèle, n'était pas ravie. Moi non plus. Je crains que mon avenir artistique ne soit anéanti par le mal d'amour.

Midi. Direction : cantine. IL était là, devant moi, à discuter avec trois types insignifiants en tenue de sport. Et, OH ! il était en short, ses longues jambes bronzées mises en valeur par des chaussettes d'un blanc éblouissant. Mon cœur a failli exploser. J'ai ressenti la même chose que le jour où, à cinq ans, j'avais passé une audition pour jouer une bonne fée dans *La Belle au bois dormant* : j'étais muette d'émotion. Pour une raison inconnue, que seuls d'éminents psychologues pourraient expliquer, je l'ai dévoré des yeux. Je ne pouvais pas m'en empêcher ; je fixais ses jambes, tel un zombie frappé de démence.

— Il y a une fille qui te regarde d'une façon étrange, lui a fait remarquer un de ses potes.

Tétanisée, je n'ai pas bronché. Mes yeux étaient envoûtés. Une chouette au soir du Jugement dernier.

IL a fini par tourner la tête :

— Oh... Euh... je ne t'avais pas reconnue. Tu te sens mieux ? Pas de commotion cérébrale ?

— Oui, oui, ai-je fait comme une idiote.

—Tant mieux ! Bon, on doit y aller !

Je suis restée figée comme une statue à contempler son dos superbe tandis qu'il prenait le chemin du gymnase. J'ai entendu un de ses copains dire :

— Il y a vraiment des nanas givrées dans cette école !

À la cantine, je me suis assise près de Sarryan, avec Emilie et Ellen. J'avais l'impression d'être un ver de terre couvert de psoriasis.

— Le coup que tu nous as fait l'autre soir ! a lancé Sarryan. Tu disparais pendant des heures pour réapparaître dans les bras de l'HOMME. Judy était folle de rage, mais elle ne pouvait rien dire !

— Ouais, je suis vraiment tombée dans les pommes, ai-je marmonné, malheureuse comme les pierres.

Alexa, c'est marée basse ; ma bonne fortune a sombré. Je vais concentrer toute mon énergie frustrée sur mon exposé. *Les Hauts de Hurlevent* vont bien avec mon humeur du moment. Autant que la torture d'un amour non partagé serve à quelque chose.

Votre Gilly Freeborn, au désespoir.

Le 27 février

Chère Alexa,

Vacances scolaires. J'aimerais que maman cesse
de m'appeler sa « grosse empotée » ou sa « grosse
flemmarde empotée ». Je sais que c'est de l'humour.
Elle dit ça le matin quand – je dois l'admettre –
je suis mollassonne, et j'ai du mal à me tirer du
lit, mais ça me porte sur les nerfs. Après tout, ce
n'est déjà pas rigolo d'être plate comme une
limande. Alors, si vos parents vous traitent de gros

tas ! Je ne peux pas ouvrir la bouche sans qu'ils me taquinent, et ça les fait marrer que je me vexe ! Quant à Rosalie, elle m'affuble de qualificatifs plus charmants les uns que les autres : godiche, pataude, nigaude, et j'en passe.

En fait, je me sentais tout *ça* samedi. Du coup, je suis allée me remonter le moral chez Sarryan. J'adore son appart', c'est un autre monde. Annie et moi vivons dans des lotissements – des endroits effroyables pour des adolescentes sans la moindre expérience de la vie, si vous voyez ce que je veux dire. Le nôtre est le pire. Des kilomètres de faux manoirs anciens, absolument ridicules. Brenbridge est supposée être « le bijou de Trowton ». Un jour, un type déséquilibré a eu l'idée de construire ce lotissement à l'ancienne où les jeunes cadres dynamiques pourraient choisir entre une monstruosité pseudo-victorienne et un cauchemar élisabéthain. On s'y est installés il y a cinq ans. À l'époque, je m'en fichais. Je trouvais plutôt sympa de jouer dans les chantiers. Mais maintenant, ça me prend la tête : il n'y a rien, mais *rien*, ici. Des rues interminables, bordées de maisons nunuches. Un café *Au nouvel homme vert* ; une supérette ; un boulanger pâtissier ; un fleuriste. Point final !

Sarryan vit de l'autre côté de la ville, où il reste quelques vraies maisons. En brique patinée, avec de jolies fenêtres et de grands arbres dans les jardins. La famille de Sarryan occupe un loft au rez-de-chaussée. Sa chambre a une grande baie vitrée qui donne sur le jardin. J'avais apporté une cassette vierge parce que Sarryan, qui veut faire ma culture, voulait me copier le dernier CD à la mode.

On était assises sur son lit, la musique à fond :

T'es qu'un asticot, bébé,
Un asti, un asti, un asticot !

Soudain, Sarry m'a dit :

— Qu'est-ce qui se passe entre Annie et toi ? Vous ne vous parlez plus ?

— Heu… non, pas vraiment !

J'étais embêtée, Alexa. J'avais envie de répondre : « C'est qu'une sainte-nitouche attardée, débile, physiquement diminuée, et je ne peux pas la sentir. » Mais, quelque part, je savais que c'était une sorte de trahison, étant donné tous les bons moments qu'on a passés ensemble. Alors, je me suis contentée de dire :

— Oh, c'est juste qu'on change en grandissant. On n'a plus les mêmes centres d'intérêt.

— En ce cas, tu peux sortir de temps en temps avec Emilie et moi, si tu veux, a proposé Sarry. Sauf que tu dois apprendre deux ou trois trucs. Le switch, par exemple.

Et elle s'est lancée dans une démonstration de cette danse qu'elle et Emilie ont inventée. Deux pas à gauche, deux à droite, un en arrière, un en avant, et puis vous bougez les pieds dans tous les sens en agitant la tête comme une malade. Ça se danse sur du rap. Sarry a mis *Big Rap Talking Blues Number Nine*. Le soleil inondait la pièce, et Sarry s'est moquée de moi parce que je n'y arrivais pas du tout : j'allais à droite quand il fallait aller à gauche, etc. À un moment, j'ai secoué la tête du mauvais côté, et on s'est cogné le crâne, ce qui nous a tellement fait rire qu'on s'est écroulées sur le lit, hystériques. Ça m'était bien égal d'avoir mal. Je ne me sentais plus gourde du tout.

En rentrant à la maison, je nous imaginais, Sarry et moi, dansant le switch à la télé.

On a affiné le truc, qui est devenu hyper complexe. Il est salué comme la plus grande innovation depuis l'invention du rock. Chris Evans nous interviewe dans son émission « Musiques nouvelles ». LUI, devant son écran, subjugué, sursaute soudain en reconnaissant la fille qu'il avait sauvée d'une commotion cérébrale pour l'oublier aussitôt.

La caméra zoome sur moi tandis que j'explique l'origine des mouvements et leur *sens profond*. J'ai le visage mince, le teint pâle, de grands yeux bleus qui pétillent d'intelligence et de créativité. Son cœur bat la chamade. Qu'a-t-il fait ? Si seulement il avait patienté quelques semaines, le temps qu'elle se développe, cette sirène ensorcelante serait sienne. Le remords le dévaste. Il se rend compte du gâchis de ces mois passés avec cette idiote de Judy Fry. Il serre les mâchoires – les hommes ne pleurent pas…

Bien à vous,

Gilly Freeborn.

Le 8 mars

Chère Alexa,

J'ai eu une révélation !

Je vous explique. Mercredi, cours de littérature.

— Emily Brontë était un personnage tragique, déclare Mme Goldstein.

— Pas du tout !

— Pardon ?

— Elle n'était pas tragique, s'entête Tracey Mann, mais incomprise.

— Eh bien, oui, Tracey, sans aucun doute, elle était incomprise. Mais également tragique ! Maintenant, faites-nous partager votre savoir !

Mme Goldstein avait cette voix agacée qu'elle prend quand miss-je-sais-tout l'interrompt. À son tour, Tracey a emprunté le ton ce-n'est-pas-parce que-vous-êtes-prof-que-vous-avez-la-science-infuse :

— Désolée, Madame Goldstein, mais il s'agit là d'un point crucial. L'opinion courante veut qu'Emily soit un personnage tragique, menant une existence solitaire dans un presbytère isolé, avec un père fanatique, un frère fou et des sœurs bizarres. Mais ça lui *plaisait !* Elle *n'aimait pas* les gens. Elle ne voulait ni gloire ni renommée. Elle a même décidé de mourir à son heure. Elle en avait assez. Elle a refusé qu'on envoie chercher le médecin !

— Bien, Tracey, soupira Mme Goldstein.

Alexa, c'est quelque chose, d'avoir dans sa classe *le* cerveau d'Angleterre. Une bête d'intelligence qui se croit obligée de remettre les profs à leur place. Vous pensiez peut-être que nos enseignants éclairés apprécient ça. Prétexte à une discussion stimulante, élèves motivés à mort pour le bac, etc. Eh bien, non. Ça les embête, parce qu'elle est plus intelligente qu'eux ! Oui, aussi étrange que cela puisse paraître, Tracey Mann est plus cultivée que tous nos profs réunis. Et ça, ils ne supportent pas. Nous non plus, d'ailleurs !

Mais venons-en aux faits. On étudie les poèmes d'Emily Brontë pour approfondir notre compréhension des *Hauts de Hurlevent*. Mme Goldstein est une fanatique de ce qu'elle appelle « fouiller l'arrière-plan avant de s'attaquer au récit ». En théorie, ça paraît logique, mais, en pratique, c'est d'un ennui mortel. J'étais donc là à écouter bourdonner les mouches – musique plus excitante que le radotage de Mme Goldstein – quand mon oreille a perçu ces vers :

Alors j'ai refoulé les larmes d'une passion vaine,

Détourné ma jeune âme de sa langueur pour la tienne...

Ça alors ! Emily devait avoir, *comme moi*, un amour secret ! Elle *a canalisé son tourment en se jetant* dans la littérature et est devenue un génie. Ça a fait tilt dans ma tête ! Le sort en était jeté ; les graines, semées ; j'allais agir de même. Déverser ma passion contrariée dans les mots et me démarquer comme l'un des plus jeunes poètes lyriques de tous les temps.

Mme Goldstein a failli tout gâcher en déclarant que les poèmes d'amour d'Emily Brontë étaient inventés de toutes pièces et qu'elle n'avait jamais posé les yeux sur un homme. Je me suis dit : « Qu'en sait-elle ? Elle n'habitait pas la porte à côté, hein ? Et même, à supposer qu'elle se soit trouvée là, Emily n'allait pas se précipiter toutes les cinq minutes pour échanger des confidences autour d'un thé avec une femme permanentée qui glapit dès qu'elle ouvre la bouche. Sûrement pas ! » J'élaborais déjà ma première œuvre. J'avais hâte de rentrer à la maison pour m'y mettre.

Toutefois, il y a un problème, devenu flagrant dès mon retour. Tout va bien si vous disposez de « collines arides », de « champs de blé ondulant au vent », de « landes pourpres » ou de « sommets embrumés et sans lune » pour nourrir votre inspiration. Si vous avez tout ça sous la main, vous pondez des pages et des pages. Dans mon lotissement, j'ai quoi ? Des bordures de gazon minable, deux arbrisseaux malingres qui auraient besoin de béquilles, une vue depuis la chambre qui ressemble à un tarmac d'aéroport où on aurait aligné des maisons de Monopoly. Dur d'avoir le cœur qui bat, la fièvre créatrice qui palpite dans vos veines. Brenbridge a moins d'âme que le rayon électroménager du supermarché. Surmonter ce handicap représente une sacrée performance.

Enfin, j'ai fermé mes rideaux, allumé ma lampe de chevet et médité. J'ai tenté d'oublier le son de la télé et les coups de klaxon pour me plonger au cœur d'une nuit étoilée. Si vous trouvez ça mauvais, Alexa, je ne me vexerai pas. N'ayez pas peur de me dire la vérité. N'importe quel poète sait tirer profit d'une critique constructive.

Cette nuit fatidique s'en est venue et repartie dans l'au-delà,

Cette fameuse nuit où il l'a tenue dans ses bras,
La nuit où elle a cru que le Ciel avait envoyé
Le prince qui à ses charmes allait succomber.
Oh, nuit cruelle ! Imposteur au cœur de pierre !
Combien sa fierté en a souffert !
Il n'a songé qu'à la relever,
Quand elle a chu, la tête fêlée.

Alexa, je tiens à avoir votre opinion. Dites-moi franchement si vous estimez que j'ai un soupçon d'espoir. La poésie pourrait être mon billet vers le salut ; une évasion de ce long chemin de tristesse.

Impatiente de lire votre réponse,

Gilly Freeborn.

Le 12 mars

Chère Alexa,

Merci. Ce n'était pourtant que mon premier !
J'en ai écrit cinq autres depuis – rien que des
poèmes d'amour. J'ai regardé « plagié » dans le
dictionnaire. Définition : « Emprunté à quelqu'un
d'autre. Pas original. » Si vous pensez que c'est
facile, de ne pas se laisser influencer par ses lec-
tures ! Les paroles d'autrui s'incrustent en nous.
Je me suis acheté un carnet bleu spécial poésie.

Il ne me reste plus qu'à éclaircir mon cerveau afin que la vraie voix de Gilly Freeborn s'exprime.

L'étau de l'amour m'étreint toujours. Jeudi, je me trouvais à la supérette du coin quand, soudain, à deux pas de moi, j'ai vu SON dos, ses boucles brunes. Mes jambes sont devenues toutes bizarres, molles et tremblotantes. Pourtant, il ne faisait rien de spécial : il était juste planté là, un sachet de saucisses dans la main. Je ne voyais même pas son visage ! C'est sûrement parce qu'il émet des vibrations irrésistibles ! Mon cœur cognait si fort que j'ai dû poser la main sur ma poitrine pour tenter de le calmer.

Quand il est parti, j'ai laissé tomber mon panier à demi rempli, et je me suis retrouvée en train de le suivre dans la rue. Une force inconnue me poussait à découvrir où il habite ; quelle sorte de demeure abrite son corps divin. Tant que je restais à une distance prudente, ça allait, pas de troubles physiques. Je me disais : « Plus j'en apprendrai sur lui, plus on sera proches. » Et voilà : Jonathan O'Neil vit au 49, Horseferries Road, dans une grande maison victorienne. Sa chambre est située au grenier. Sa mère est brune, comme lui. Ils ont une voiture rouge. Il y a un lilas blanc dans le jardin. Que de poésie dans tout ça ! Je l'ai noté sur une page spéciale dans mon carnet bleu.

Alexa, vous devez croire qu'il s'agit d'une amourette d'ado. Eh bien, vous vous trompez : c'est une *passion* réelle, ardente, intense, irrépressible, qui a envahi chaque veine, tendon, muscle, os de mon corps. Elle est enchâssée là, tel un diamant dans la pierre.

Vôtre,

Gillian Freeborn.

Le 15 mars

Chère Alexa,

J'ai été surprise à espionner Greg, le petit ami
de ma sœur ! Il était minuit et demi quand j'ai
entendu les talons de Rosalie claquer sur le trottoir, accompagnés par le léger crissement de
semelles de crêpe. J'ai entrouvert mes rideaux et
les ai vus remonter l'avenue en s'arrêtant toutes
les cinq secondes pour se regarder dans les yeux.

Je sais que maman, dans sa chambre, se trouvait
à son poste d'observation. Elle ne se couche

jamais avant que Rosalie soit en sécurité sous sa couette à fleurs. Franchement, je trouve ça trop ! Après tout, Rosalie a seize ans et trois mois. Enfin, je sais ce qui m'attend quand mon heure viendra.

Bref, lorsque j'ai entendu la clé de Rosalie tourner dans la serrure, je me suis faufilée sur le palier et dissimulée derrière la rampe. Et voici ce qui arriva :

—Tu es SPLENDIDE. (Froissement de tissu.)

— Mmmmmmmm. (Frétillements.)

Long baiser mouillé suivi de grognements émis par Greg.

— Chut ! Maman va entendre !

—Tu parles !

Re-froissement de tissu, accompagné de petits cris poussés par Rosalie. Puis :

— Tu as des seins magnifiques — comme, comme... de doux melons délicieux !

On entend pas mal de choses drôles dans la vie, mais, parfois, on perd son sang-froid. Malgré moi, le fou rire a escaladé au galop mes voies respiratoires pour exploser dans ma gorge avec la violence d'une grenade.

— Espèce de petite garce ! a hurlé Rosalie.

Elle a grimpé les marches, deux à deux, pour arriver sur le palier en même temps que maman, qui a crié :

— Qu'est-ce que c'est que ce boucan ? Il est une heure moins le quart !

La lumière s'est allumée. Toutes les trois, on s'est penchées vers le malheureux Greg comme si on découvrait un cambrioleur dans la maison.

— Cette peste nous espionnait ! a sifflé Rosalie.

— Non, pas du tout, j'allais juste...

—Ça suffit ! m'a coupée maman. Gillian, file te coucher. Rosalie, dis bonsoir à ton ami et éteins la lumière. N'oublie pas de mettre la chaîne.

Je dois convenir qu'il n'est pas mal. Un peu grassouillet, mais grand, avec des jambes fines et des cheveux châtain clair. Le mauvais côté de la chose : je vais avoir Rosalie sur le dos ! Pourtant, ça valait le coup. Si elle dépasse les bornes, je peux toujours lui balancer à la figure ses « doux melons délicieux ». Elle a intérêt à bien se tenir !

Autre leçon retenue de cette expérience : les garçons deviennent carrément nunuches sous l'emprise de la passion. En tout cas, j'en suis sûre,

LUI ne s'abaisserait jamais à prononcer de telles niaiseries !

Bien à vous,

Gillian Freeborn.

Le 17 mars

Chère Alexa,

Vendredi. Hier, je me rendais de mon cours de
maths à celui de dessin, fouillant dans mon sac à la
recherche de ma boîte de fusains, quand ma main
a touché quelque chose de lisse et de carré. J'ai
jeté un coup d'œil. Lisse, blanc, craquant, carré.
Une enveloppe ! Une enveloppe qu'on avait dû
placer là en secret. Mon cœur a bondi. Je me suis
faufilée dans un couloir vide. Ça disait :

« Top confidentiel

À l'attention de G. Freeborn. »

Et il y avait un CŒUR, un petit cœur joliment tracé au feutre rouge. J'ai pensé : « C'est arrivé ! » Quand on distille dans l'atmosphère des sentiments aussi intenses, un jour ou l'autre, forcément, ils atteignent leur cible. Du moins, c'est ce que j'ai pensé.

J'ai attendu le soir pour l'ouvrir. Après le dîner, je suis montée dans ma chambre, j'ai tiré les rideaux et fouillé dans mon sac. Les yeux fermés, j'ai effleuré du doigt les contours de l'enveloppe.

Puis, très doucement, je l'ai ouverte, en prenant bien garde de ne pas la déchirer. J'en ai sorti un papier plié en quatre. J'ai laissé courir mon imagination. Ça pouvait dire : « Gilly, je t'aime » ; ou : « Gilly, j'ai attendu trop longtemps » ; ou encore : « Gilly, je ne sais comment l'expliquer, mais il m'arrive quelque chose… »

Lentement, lentement, j'ai déplié la feuille… Les trois lignes gribouillées dessus m'ont donné envie de vomir :

« Rendez-vous derrière la salle de travaux manuels demain à quatre heures.

Signé : W. (tu sauras !) »

Wayne Cross ! Ce minable de Wayne Cross dégoulinant de salive. Morveux, baveux, une vraie limace. J'étais effondrée. Quelle idiote, avec mes faux espoirs ! À bien y réfléchir, Alexa, pourquoi un garçon beau comme un dieu et intelligent en diable tomberait-il amoureux d'une adolescente courte sur pattes, boulotte et plate ? Hein, pourquoi ?

Wayne Cross. Eh bien, qu'il attende derrière la salle de travaux manuels jusqu'à ce que mort s'ensuive ! Il trouvera bien quelqu'un d'autre à tripoter et bécoter. S'il s'imagine que j'ai apprécié son ignoble baiser ! Jusqu'où peut aller l'arrogance masculine ?

Votre correspondante déçue, dégoûtée, ulcérée,

Gillian Freeborn.

P. S. : En fait, c'était juste ce dont j'avais besoin pour me stimuler avant la prochaine réunion du CAFCA. J'ai réalisé une affiche : « POUR QUI LES HOMMES NOUS PRENNENT-ILS ? » que je vais placarder partout. Si avec ça Annie ne vient pas...

Le 20 mars

Chère Alexa,

Mauvaise ambiance à la maison. J'ai d'abord cru que chacun en avait ras-le-bol du temps maussade. Mais deux événements laissent supposer que la situation est plus grave. J'aimerais avoir votre avis.

Hier soir, on était tous ensemble, avachis sur le canapé à regarder *La nuit noire de la comète*, ce film d'épouvante qui donne la chair de poule et qu'on adore, quand on a sonné à la porte d'entrée. Papa n'a pas quitté la télévision des yeux, l'air de dire : « Ça ne me concerne pas ! »

Maman n'a pas bougé non plus, tandis que la cloche carillonnait. Elle a fini par grommeler :

— Je crois savoir de qui il s'agit !

Puis elle s'est dirigée à pas de loup vers la porte comme si elle attendait un couple de fantômes venus s'inviter à dîner. On a entendu :

— Salut ! Je commençais à penser que la sonnette était en panne !

La voix de Tante Paula ! Maman a lancé, du ton qu'on prend quand on découvre une limace dans la salade :

— C'est ta sœur !

Tante Paula est la cadette de papa. Maman en parle comme d'une, je cite, « adolescente attardée qui ferait mieux de se prendre en main ». Nous, on la trouve super — moi, en tout cas. Elle me remonte le moral parce qu'elle se conduit de façon farfelue.

Donc, la voilà qui entre au salon, nous embrasse, jette ses bagages par terre. Je me suis dit : « Ouh là ! Elle s'installe ! »

Maman avait disparu à l'étage et n'est pas redescendue *de la soirée*. Papa a ouvert une bouteille de vin et préparé des sandwiches. Tante Paula nous a expliqué qu'elle avait dû payer une amende pour avoir vendu au noir ses bougies sculptées ; qu'elle s'était disputée avec Tom, son petit ami, qui l'avait fichue à la porte de son appartement à elle. Elle a demandé si elle pouvait rester chez nous quelques jours, le temps de se retourner. Papa a dit : « Sans problème, tu dormiras sur le canapé. » Puis ils ont évoqué les jours anciens quand ils passaient des nuits entières dehors ; la fois où Papa avait été arrêté par la police pour avoir organisé une soirée de vampires sur le toit de sa maison. Il avait dit aux flics qu'il s'appelait Gordon Immortel, ce qui me fait hurler de rire à chaque fois.

Plus tard, j'ai entendu les parents se disputer à voix basse.

Second événement, survenu aujourd'hui en fin d'après-midi. Quelqu'un a glissé un tract sous notre porte. Rien d'extraordinaire. Papa a survolé le texte, il est devenu rouge de colère et a couru après le malheureux militant en hurlant :

— Comment osez-vous jeter vos ordures dans MA maison ?

Il s'agissait en fait de propagande électorale en faveur du candidat conservateur. Notre voisin, Hugh Parkinson, qui taillait paisiblement sa haie, en a laissé tomber ses cisailles de saisissement. Il faut dire que le type dévalait l'avenue en semant ses tracts qui voltigeaient, tels des flocons de neige. Papa s'est mis à les ramasser, les froisser en boule, les jeter dans les jardinets alentour en criant :

— Espèce d'enfoirés bouffis d'autosatisfaction, bande de minables !

Maman est restée dissimulée derrière la porte jusqu'à son retour. Quand il est rentré, le visage blême, elle lui a dit :

— Qu'est-ce qui te prend ? Tu veux nous faire passer pour des malades ? Tu as perdu la tête, ou quoi ?

Objectivement, Alexa, on était de son avis, excepté Tante Paula, qui a applaudi :

— Bien joué, Gordon !

Alors, Alexa, qu'en pensez-vous ? Étrange, non ? Je sais que mes parents n'ont pas les mêmes opinions politiques. De là à en venir à de telles extrémités, c'est trop, non ? On dirait que mon père pète les plombs ! Quoi qu'il en soit, il y a un problème dans leur couple.

Votre correspondante fidèle et perplexe,

Gillian Freeborn.

P.S. Tout ça m'a tellement déprimée que j'en avais presque oublié mon anniversaire, dans trois semaines. Enfin ! Fini, le « presque quatorze ans ». À moi le long chemin de lumière qui mène à l'âge adulte. *Quatorze* sonne bien, ça fait classe, non ? Vous vous rendez compte : dans quelques petits mois, j'aurai « bientôt quinze », yep !

Le 25 mars

Chère Alexa,

Vendredi Saint. Tante Paula est venue en ville avec moi « pour voir comment vit le reste du monde » et acheter une cassette de musique New Age. En passant devant la dixième laverie automatique, elle s'est exclamée :

— Juste ciel ! Que font-*ils* à nos villes ?

Elle n'a pas apprécié non plus le centre commercial, qu'elle a baptisé « tombeau pour morts vivants », avant d'ajouter :

— Je me demande comment tu peux vivre ici, Gilly. Vraiment ! Ton père doit avoir perdu la boule pour s'installer dans un endroit pareil !

Du coup, je lui ai confié mon désir de devenir poète, et mes difficultés à trouver l'inspiration au milieu de tous ces carrés et rectangles, et de ces jeunes arbres qui ressemblent à des piquets avec trois feuilles.

— Je vois tout à fait ce que tu veux dire, a-t-elle soupiré.

Pour nous remonter le moral, je l'ai emmenée dans un salon de thé, qui a l'avantage de donner sur une vraie rue pavée. On a commandé un expresso et des beignets. Elle a commencé à me parler de Tom, expliquant qu'ils avaient besoin de rester un bout de temps loin l'un de l'autre pour « garder la tête froide » ; râlant, parce que c'est elle qui fait la cuisine et le ménage, ce qui est injuste, vu qu'elle doit aussi fabriquer une centaine de bougies sculptées par semaine, juste pour s'en sortir.

— Ne tombe pas dans ce piège, Gilly, a-t-elle conclu. À ta place, je n'apprendrais pas à cuisiner !

J'ai dit que ça ne risquait pas de m'arriver, étant donné ma lamentable expérience des tomates farcies. De fil en aiguille, je lui ai confié mes tourments, mes espoirs fous, mes rêves brisés. Tout y est passé : Judy Fry, Annie, la soirée... Quand j'en suis arrivée à l'épisode de la tomate explosée sur le trottoir, elle a éclaté de rire. C'était gênant parce qu'elle avait la bouche pleine de beignet à la framboise. En tout cas, on aurait dit que c'était la chose la plus drôle de l'histoire mondiale, et je me suis mise à rire aussi. Au bout d'un moment, on a été carrément prises de convulsions. C'est ce que j'adore chez Tante Paula : avec elle, on voit toujours le bon côté des choses.

Quand nous nous sommes enfin calmées, Tante Paula m'a annoncé qu'elle partait lundi.

— Ma présence chez vous ne simplifie pas les choses, a-t-elle ajouté.

— C'est-à-dire ?

— Les adultes ont aussi leurs problèmes, Gilly. Ça va se régler tout seul.

Je suppose qu'elle faisait allusion à papa et maman, et à la conduite étrange de papa ces derniers temps. Mais je n'ai pas posé la question. Je préfère ne rien savoir !

Avant son départ, elle va m'aider à préparer mon discours pour la réunion du CAFCA. Elle me prend au sérieux, elle, ce qui n'est pas le cas du reste du monde... Je suis triste qu'elle s'en aille.

Bien à vous,

Gillian Freeborn.

Le 3 avril

Chère Alexa,

De retour à l'école, et je n'ai pas la pêche ! Tout
espoir semble perdu. Judy affirme qu'ILS pré-
voient de partir ensemble en vacances. En clair :
sa famille à elle va dans le sud de la France, et IL
les accompagne. C'est du sérieux. Je n'arrive pas
à croire qu'on a le même âge. Ce matin, Judy a
débarqué dans une tenue fracassante. Où que vous
alliez, ils sont là, main dans la main. Bref, les

autres filles de la classe ont laissé tomber. Pas moi. J'en suis incapable.

L'Amour est une souffrance où se mêlent la jalousie, la frustration et l'espoir, je suis bien placée pour le savoir. Je suis sûre que, s'il me connaissait vraiment, s'il voyait mon *âme* à travers la coquille de mon corps, s'il découvrait mes *sentiments profonds*, la poésie que j'écris, il casserait avec Judy Fry sur-le-champ. Elle ne pense qu'à se pomponner et à se pavaner. Je me demande bien de quoi ils peuvent *parler* !

Donc, après le déjeuner, j'ai rôdé dans la cour, espérant l'apercevoir, lui, désempêtré d'elle, et mes efforts ont été récompensés. J'ai marché au hasard vers le terrain de sport… où il jouait au foot ! Oh ! Ses longues jambes, ses cheveux volant au vent ! Rien que de le regarder, j'en étais toute flageolante. Planquée derrière les rares spectateurs, j'ai vécu une demi-heure de pur bonheur. Je me répétais sans cesse : « Il m'a touchée ; il m'a tenue dans ses bras ; j'ai peut-être une petite chance. »

Comme j'avais *Les Hauts de Hurlevent* dans ma poche, je me suis assise dans l'herbe et j'ai fait mine de lire en les observant du coin de l'œil quand le match a pris fin. Cette façon de bouger qu'il a ! On jurerait qu'il flotte dans l'air.

Quand la cloche a sonné, il m'a semblé qu'il venait dans ma direction. J'ai plongé le nez dans mon bouquin, l'air hyper concentré. Mon cœur s'affolait – boum, boum, boum… Le visage en feu, les mains moites, je pouvais à peine tenir mon livre. Je transpirais, mes yeux louchaient, j'ai cru que j'allais exploser.

Puis j'ai senti un courant d'air quand il s'est penché pour ramasser son sac de sport. Il était là, devant moi, à s'éponger avec sa serviette en respirant à grands coups. J'étais au bord de l'apoplexie quand il a dit :

– Tiens, tu es une fan de foot ?

Obligée de lever la tête, j'ai réussi à lâcher : « Ouais » – si surprise d'être capable de parler que j'ai failli bondir hors de mon corps (vous voyez ce que je veux dire ?)

– Super ! a-t-il fait. On n'a jamais trop de supporters. À plus !

Et il s'est éloigné de sa démarche planante, avec ses boucles qui valsaient sur sa nuque, me laissant toute pantelante. J'étais comme un puzzle éparpillé. Il m'a fallu un temps fou pour rassembler mes membres et oser faire un pas. J'avais cours d'économie domestique. J'ai passé une heure à confectionner un gâteau mousseline qui, une fois cuit, ressemblait plus à une bouse de vache qu'à de la mousseline. Mais qui s'en soucie ?

En rentrant à la maison, je me suis rejoué la scène une centaine de fois, cherchant un sens caché derrière ses mots, sans rien trouver. Il s'est juste montré poli, non ? J'étais là ; il m'a adressé la parole. Ça aurait pu être n'importe qui d'autre.

Arrivée chez moi, j'étais aussi raplapla que mon gâteau bouseux. Dégoûtée, je l'ai jeté rageusement à la poubelle, où je me serais volontiers engloutie aussi.

Alexa, il faut absolument que j'aie plus confiance en moi. Je me suis fixé deux objectifs : obtenir un triomphe avec mon discours lors de la réunion du CAFCA, et pondre un essai digne d'un prix littéraire sur *Les Hauts de Hurlevent*. Si je ne peux gagner son cœur par ma beauté, je vais essayer avec mon âme et mon intelligence.

Votre correspondante abattue,

Gillian Freeborn.

Le 6 avril

Chère Alexa,

Hier, mercredi, a eu lieu la réunion la plus réussie du CAFCA. J'ai passé la soirée du mardi à peaufiner mon discours, qui – je dois le signaler, bien que j'en sois l'auteur – est excellent. Tante Paula m'avait suggéré des pistes, et je l'ai axé sur le thème : « Parler ET agir. » À quoi sert de bavasser si on n'intervient pas afin que le sort des femmes change ?

Je venais de terminer mon petit déjeuner en ajoutant deux ou trois notes à mon texte quand j'ai senti une présence dans mon dos. Senti est le mot juste : « Passion de minuit », le parfum sirupeux de Rosalie, m'agressait les narines. J'ai vu avec horreur qu'elle lisait par-dessus mon épaule. Franchement, de quoi je me mêle ! Elle devait penser que j'écrivais encore des bêtises de gamine dans le journal intime qu'on m'a offert pour mes cinq ans. Déçue, elle n'a pas pu s'empêcher de me critiquer quand même :

— Seigneur ! Quel tissu d'inepties ! Pour qui te prends-tu ? Une féministe en herbe ? Alors que tu n'as pas le moindre bourgeon sur la poitrine ?

Et de s'écrouler de rire, fière de son jeu de mots tiré par les cheveux. Je vous jure, des sœurs comme ça, on devrait les parquer dans des réserves en Laponie ! Par chance, elle est partie à la fac, et maman m'a demandé :

—Tu écris quoi ?

J'ai répondu que c'était un truc scolaire, ce qui est exact. Je ne vois pas pourquoi je devrais étaler mes pensées privées sur la place familiale. Et puis quoi encore ?

Pendant la pause, Sarryan et moi avons mis au point l'ordre du jour. On a listé cinq revendications — enfin, *j'ai* listé, car Sarryan semblait plus intéressée par Michael Barnes que par notre réunion. Je me demande parfois si elle prend le CAFCA au sérieux. Pour être franche, je suis sans doute l'unique fille du collège ayant d'autres préoccupations que les garçons et les groupes de rock.

Quoi qu'il en soit, voici ce que ça a donné :

1. Des journées d'informatique réservées aux filles.

2. Étude d'écrivains féminins pour les deux sexes.

3. Parité absolue de l'accès aux sports.

4. Les filles refusent de cuisiner et décorer l'école pour la journée portes ouvertes : au tour des garçons de s'y coller !

— Tu vois autre chose ? ai-je demandé à Sarryan, assez haut pour qu'Annie entende.

— Euh… J'en sais rien… Ah si ! Pourquoi pas des vestiaires mixtes ? a-t-elle pouffé.

— Chut !

Trop tard. Michael Barnes et la moitié de la classe avaient entendu. J'en étais malade !

— Ouais, génial ! a hurlé ce cornichon de Barnes. Tu partages ma serviette quand tu veux, poupée !

Précisément le genre de réflexion macho contre lequel on lutte !

— Sois sérieuse, c'est important, ai-je dit, furieuse.

— Bon, j'opte pour une décision radicale. Le point 5 sera : si nos revendications sont refusées, on se met en grève !

La cloche a sonné, et on en est restées là. Pendant les cours suivants (maths et géo, l'horreur absolue !), je me demandais si Annie assisterait à la réunion... Eh bien, oui ! Et il y avait dix filles, un record.

J'ai démarré mon discours aussi sec, expliquant que rien n'avait changé en vingt ans, que c'était toujours nous qui faisions la cuisine, le ménage, etc. Qu'il ne suffisait pas de parler, qu'il fallait AGIR pour imposer nos revendications justifiées. À la fin, j'ai demandé le vote de notre liste, que personne — même Annie — n'a contestée !

J'ai été applaudie, c'est grisant de constater que les autres vous suivent dès qu'on est vraiment motivé. Le temps avait filé à toute allure ; le collège était vide à la fin de la réunion.

En rentrant, je me suis dit qu'Annie allait regretter son attitude hautaine envers moi. J'étais si remontée que j'imaginais toutes les élèves rallier le CAFCA. Alors, IL entendrait parler de cette fille fantastique, créative, intelligente, enthousiaste, capable de réussir un tel exploit.

Le lendemain, j'ai apporté notre liste à M. Pennings.

— Bon travail ! a-t-il dit. Je vais y réfléchir.

— J'espère bien ! Tout le monde est derrière nous !

Plus tard, j'ai confié à Sarryan :

— Il va lui falloir un peu de temps. Laissons-lui un mois, d'accord ?

Oh, Alexa, je me sens tellement mieux ! Pourvu que ça dure !

Votre correspondante inspirée,

Gillian Freeborn.

Le 11 avril

Chère Alexa,

Hier, c'était mon anniversaire. Au fond de moi,
je pensais que quelque chose de merveilleux allait
se produire : un chœur de trompettes, ou Rosalie
gentille, pour une fois. Et devinez ce qui est
arrivé…

Je me suis réveillée avec le cou enflé, et maman
m'a obligée à rester au lit, craignant une mononu-
cléose infectieuse. Je vous jure ! Même quand les
parents m'ont apporté un petit déjeuner spécial et

sont restés dans ma chambre en essayant de me faire rire, je me sentais au trente-sixième dessous. Vous voyez, Alexa, voilà trois mois que je bassine Maman avec un sac génial que j'ai repéré à Top Shop. Je le lui ai montré au mois trois milliards de fois, avec des commentaires du type : « Waouh ! Imagine, posséder une merveille pareille ! » et : « Quelle couleur superbe ! » et encore : « Incroyable, il ne coûte que dix livres ! » Eh bien, aucune réaction : soit elle est sourde, soit elle a oublié ce que c'est d'avoir quatorze ans.

Vous savez ce que j'ai eu ? Un *porte-documents !* En toile bleue. J'aurais dû deviner qu'ils m'offriraient un truc pour l'école — un cadeau *utile.* L'effort que j'ai dû accomplir pour avoir l'air contente, je ne vous dis pas ! Mais comment faire autrement avec papa, m'expliquant, un sourire jusqu'aux oreilles :

— Regarde, il y a une poche pour ci, une poche pour ça, et même un compartiment spécial pour ton *compas !*

Super, Papa, merci !

Rosalie m'a tendu un flacon de bain moussant à trois sous — Lagon bleu — avec ce commentaire :

— Comme ça, tu ne me piqueras plus le mien !

Plus une carte d'anniversaire préimprimée, où il était inscrit : « À mon cher grand-père. » Je ne le crois pas ! Elle aurait pu s'appliquer un peu, présenter joliment les choses. On n'a pas tous les jours quatorze ans, quand même !

Ce matin, mes ganglions avaient disparu. Maman pense que j'ai dû attraper un virus bizarre. Typique. Les virus ordinaires s'en prennent aux gens normaux. C'est sur moi que tombent les autres. De ceux qui ne durent que vingt-quatre heures, le temps de bousiller la plus belle journée de votre vie !

J'ai un peu retrouvé le moral en retournant en cours. Sarryan et Emilie m'avaient écrit une carte :

Gillian a un an de plus
Elle va se sentir pleine d'audace et de hardiesse
Car ses treize ans ont bel et bien disparu.
Tes amies, Sarry et Em, avec tendresse.

En anglais, Mme Goldstein a demandé à la classe de chanter « Bon anniversaire pour hier », ce qui était drôle et sympa. Donc, Alexa, nous y voilà, c'est sans retour. Je vais aller de l'avant, plus loin, plus haut, plus fort.

Bisous,

Gillian Freeborn (14 ans).

Le 12 avril

Chère Alexa,

Il s'est passé quelque chose ! J'ose à peine y croire. Alexa, vous croyez que c'est possible ? Je vous raconte tout, en détail.

Réveillée ce matin par le brutal tirage de rideaux habituel. Me penchant pour prendre mon bol de céréales, j'ai senti… comme une douleur du côté de la poitrine. D'abord, j'ai cru que je m'étais coincé un nerf au cours d'un cauchemar. Mais quand Rosalie a eu enfin fini de s'extasier à propos de Mitzi — une styliste géniale qui l'initie aux tendances du monde de la mode, et bla-bla-bla —, c'était toujours là. Le temps que j'arrive au collège, ça avait gagné toute ma poitrine. En jouant au volley, ça me gênait carrément. Je commençais à en avoir ras-le-bol quand j'ai songé que c'était peut-être une *douleur de croissance !*

Mine de rien, j'ai dit à Sarryan :

— J'ai une douleur bizarre, *là*.

— Probablement une douleur de croissance. Ça fait mal, ça tiraille ?

Alexa, c'est exactement ce que je ressentais — un tiraillement. Et Sarryan s'y connaît, vu qu'elle a de la poitrine depuis des lustres et qu'elle a vécu le processus.

Croyez-moi, c'est la première fois que je saute de joie parce que j'ai mal quelque part ! On dirait bien que mes hormones ont fini par se bouger. Au bout de combien de temps ça se voit ? Je peux avoir deux *obus* d'ici l'été, ou bien c'est progressif ? Écrivez-moi sans tarder. J'ai besoin d'une information claire, précise et scientifique.

Merci d'avance,

Gillian Freeborn, en pleine mutation.

Le 16 avril

Chère Alexa,

« Patience, patience ! » Je sais bien que chacun
est différent. J'ai juste besoin d'une confirmation :
je veux m'assurer que le processus a démarré ;
que j'ai des raisons d'espérer.

Hier, descente en ville avec Sarryan et Emilie,
qui voulait s'acheter des chaussures. Sa mère lui
avait donné vingt livres, et elle pouvait choisir ce
qu'elle voulait ! Franchement, je pense que j'ai

été traitée de façon très injuste quand on a distribué les mères. La mienne ne me donnerait jamais vingt livres pour acheter quoi que ce soit. Elle insiste pour m'accompagner sous prétexte que je prendrais un truc nul. Quand le vendeur me présente une monstruosité pour vieilles dames aux pieds sensibles, elle roucoule : « Oh, Gillian, celles-ci sont superbes ! »

Donc, nous voici parties dans cette boutique branchée, où j'ai regardé avec envie Emilie choisir des sandales rouges super chouettes. Puis Sarryan a voulu acheter des collants en dentelle à Top Shop. Et là, j'ai vu ce blouson fantastique en cuir bleu. Emilie m'a conseillé de l'essayer, ce que j'ai fait. Et, sans me vanter, il m'allait comme un gant. Sarryan a dit que j'avais l'air d'avoir dix-sept ans. Sauf qu'il valait cinquante livres... Autant y renoncer tout de suite. J'entendais déjà maman hurler : «Tout cet argent pour *ça* ? Il ne durera pas trois jours, regarde ces coutures ! Je suis sûre qu'on peut trouver mieux, et moins cher, chez Marks & Spencer ! » Comment voulez-vous que je devienne cool, dans ces conditions ? Je dois me trouver un petit boulot, comme Rosalie.

Après un détour à la boulangerie, où on s'est offert des pains au chocolat, on prenait la route du retour quand je suis tombée en arrêt devant la vitrine du coiffeur. J'ai attrapé Emilie par le bras en couinant :

— Regarde ! Oh, regarde !

C'était LUI. Je ne voyais pas son visage, mais je reconnaissais ses longues jambes brunes qui me sont aussi familières que les miennes, pâles et courtaudes. Et les Adidas noires ne laissaient subsister aucun doute. Il était là, coincé, vulnérable, tandis qu'une coiffeuse vêtue de vert lui faisait un shampooing.

Emilie, grosse maligne, a murmuré :

— Ce doit être là qu'il se fait couper les cheveux.

On est restées plantées là toutes les trois, n'en croyant pas nos yeux, de le voir ainsi exposé à tous les regards.

Et c'est alors que j'ai remarqué une petite annonce collée sur la vitre : « URGENT. Cherche jeune apprentie pour le samedi. Adresser candidature ici. » Je n'ai pas sauté de joie, au cas où Sarryan et Emilie auraient eu la même idée que moi. C'était à croire que le destin avait lu dans mes pensées, me proposant un moyen de résoudre d'un seul coup les deux problèmes majeurs de mon existence.

Quand nous nous sommes séparées, j'ai fait mine d'attendre le bus. Dès qu'elles se sont trouvées hors de vue, je suis retournée à Tifs'Mode. Un coup d'œil pour m'assurer qu'IL était parti. J'ai respiré un grand coup, et je suis entrée poser ma candidature.

Un homme grand et brun, du nom de Giorgio, m'a demandé quel âge j'avais et si j'étais du genre à travailler dur. Avec force mouvements des poignets, il a poursuivi :

— Les gens apprécient un massage énergique, mais pas qu'on prenne leur crâne pour un punching-ball...

J'ai répliqué :

— À la maison, je lave les cheveux de toute la famille.

OK, c'était un mensonge, mais l'amour excuse tout...

J'ai obtenu le job, Alexa ! Et, très bientôt, je lui offrirai le massage du siècle. Mes doigts caressant ses boucles, tandis que je lui parlerai du temps et

lui demanderai s'il désire une crème et... Je trou-
verai sûrement d'autres choses à lui dire.

Surprise, surprise ! Maman est d'accord, à
condition que je continue à potasser les maths et
la géographie. Comme si c'était vital !

Amicalement et joyeusement,

Gillian Freeborn.

P.S. À votre avis, existe-t-il beaucoup de coif-
feuses féministes ? J'ai eu une crise de conscience
cette nuit. C'est une position un peu « servile »,
non ? Quoique... plein d'hommes bossent dans ce
secteur ; alors ! En tout cas, je ne ferai pas de
publicité autour de ce job. On ne sait jamais : des
fois que ça nuirait à mon image...

Le 18 avril

Chère Alexa,

Je me demande pourquoi Rosalie me déteste à ce point. Elle ne peut pas être jalouse de moi : elle a tout ! Elle a réussi son bac, a trouvé un job le samedi et un petit ami, elle a des seins et des tas de fringues. Je dois aussi admettre qu'elle est plus jolie que moi, avec ses cheveux châtain clair doré. Les miens sont marronnasses.

Hier, elle s'apprêtait à se rendre à un concert avec Greg. C'était un de ces horribles lundis de pluie. J'étais plantée devant la glace de la cuisine, éclairée par le néon qui crée cette lumière glauque, à me dire que mon existence était aussi excitante que celle d'un poisson rouge. Emily Brontë, elle, n'a jamais connu pareille torture. Il lui suffisait de bondir dans la lande, parmi les églantines humides de rosée et les rochers. Et moi, j'allais juste monter dans ma chambre étudier son œuvre !

— Encore en train de t'admirer devant la glace ? m'a lancé Rosalie.

— Et pourquoi pas ? Je suis d'une telle beauté !

À la vérité, Alexa, je me trouvais aussi séduisante qu'un crapaud en face de Rosalie dans sa nouvelle robe sexy, gris métallisé.

— Tu aimerais venir avec nous ? a-t-elle soudain demandé.

Je n'en croyais pas mes oreilles. Je voyais déjà ce sinistre lundi virer au rose, et la tête de Sarryan et Em quand je leur raconterais ma soirée disco.

— Ouais, ça me dirait !

— Pouah, ils ne laissent pas entrer les gamines ! a ricané Rosalie.

Quelle teigne !

À cet instant, maman est entrée en disant :

— Pourquoi ne pas l'emmener, Rosalie ? Je suis sûre que Gillian serait ravie ! Combien coûtent les billets ?

— Pas question que je l'emmène. Maman, je t'en prie, j'y vais avec Greg. Je n'ai pas envie de m'exhiber avec elle !

— Lui n'y verrait sans doute pas d'inconvénient.

— Oui, je suis sûre qu'il serait d'accord, ai-je renchéri.

— Ce culot ! a glapi Rosalie. Je te rappelle que Greg te déteste. Il te considère comme une morveuse qui fourre son nez partout !

Là, elle n'avait pas tort. Je n'aurais pas dû les espionner comme ça. Je me suis juré intérieurement de me montrer super gentille avec elle à l'avenir.

Maman a soupiré :

— D'accord pour cette fois, Rosalie. Mais Gillian a quatorze ans. Vous devriez commencer à sortir ensemble.

Hé, bonne idée ! Si je fais des efforts, ma sœur peut m'ouvrir la porte d'une vie moins aride !

Quoi qu'il en soit, hier, je n'ai pas échappé à mon fatal destin. Plongée dans *Les Hauts de Hurle-*

vent, avec la pluie qui battait contre les vitres de ma chambre, je n'ai eu aucun mal à imaginer les arbres tordus par la tempête, et la passion farouche d'Heathcliff arpentant la lande en quête de son amour. Avant d'éteindre, j'ai commencé un poème :

Ô, nuit de mélancolie balayée de pluie !
Tu engloutis mon âme dans ta morne monotonie...

Je n'ai pas poursuivi. En quelque sorte, tout était écrit.

Votre correspondante lugubre,

Gillian Freeborn.

Le 20 avril

Chère Alexa,

Hier, j'ai trouvé papa plongé dans un carton de photos.

— Regarde maman, Gilly. Si tu l'avais connue alors ! Créative, bourrée d'idées. On avait un idéal : acheter une ferme au pays de Galles et élever nos enfants pieds nus au milieu des vaches et des poulets. Et vois où on en est ! Ce qu'on est *devenus !*

Et, levant les yeux vers notre plafonnier en cristal, il a fondu en larmes !

Je me suis représenté maman nous adressant des signes depuis la grange, tandis que je dansais parmi les poussins et que Rosalie trayait une vache. À la seule vision de ce paradis, j'ai aussi éclaté en sanglots.

Une clé a tourné dans la serrure. Rosalie est entrée et nous a découverts tous les deux, pleurant comme des bébés. Elle a aussitôt battu en retraite.

— Papa, il y a un problème ? Vous n'allez pas divorcer, maman et toi ?

C'est sorti malgré moi : je ne savais même pas que j'avais cette idée en tête.

— La vie n'est jamais un long fleuve tranquille, ma Gilly. Tu l'apprendras en grandissant.

Alexa, si vous saviez le nombre d'horreurs que je suis censée apprendre en grandissant ! Ça me tue !

À votre avis, papa envisage-t-il de quitter la maison ? Je refuse d'y croire. Il ne peut pas nous abandonner. Et puis, où irait-il ? Qui empêcherait maman de péter les plombs ? Vous croyez qu'il a une aventure avec une jeune fille idéaliste aux cheveux longs ?

Ce soir, je les ai observés attentivement, maman et lui. Ils se parlent à peine. Papa a fait la cuisine, puis il s'est écroulé sur le divan, le casque de son baladeur sur les oreilles et les yeux fermés, alors que notre série préférée passait à la télé !

Plus tard, j'ai sondé Rosalie :

— Papa et maman n'ont pas l'air très heureux. Tu penses que c'est sérieux ?

Après tout, un problème partagé est un problème partagé. Mais elle a répliqué :

— Ils ont leurs petits ennuis comme tout le monde. Ce ne sont pas tes oignons !

Alexa, sachez que le 23, Avenue Tudor ressemble à une marmite en ébullition pleine d'émotions refoulées. Un de ces jours, ça va exploser !

Bien à vous,

Gillian Freeborn.

Le 23 avril

Chère Alexa,

« Cessation temporaire de tout signe extérieur de vie. » À force de tourner en rond dans ma tête, j'ai perdu contact avec le monde. Je n'arrête pas d'avoir des sortes de *transes*, au cours desquelles tout peut arriver.

Je suis à bord d'un avion – le Concorde, de préférence. Assis à côté de moi, IL lit *Les Hauts de Hurlevent*. Il ne m'a pas remarquée. Je porte la robe gris métallisé de Rosalie avec un boa en fourrure.

Mes cheveux, épais et longs, tombent en cascade sur mes épaules. On vole au-dessus de l'océan Indien. Soudain, l'avion se met à vibrer, à se cabrer. Le signal rouge « Attachez vos ceintures » s'allume. La voix du commandant de bord nous ordonne : « Pas de panique. Préparez-vous à un atterrissage d'urgence. » Aussitôt, les passagers hurlent de peur et s'affolent. Moi pas, lui non plus. Il pose son livre, tourne la tête, nos yeux se rencontrent. Ses grands yeux sombres, profonds. Révélation. Regard intense, interminable. Le temps s'arrête.

– Toi, dit-il. C'est toi !

L'amour nous fait trembler. L'avion trépide comme un fou, une aile se décroche. On n'y prête aucune attention. Les flammes crépitent autour de nous, nos lèvres se joignent...

Là-dessus, je sors de ma transe. Je suis à la bibliothèque, assise près d'un gros bonhomme rougeaud qui sent la frite. C'était si réel, Alexa ! C'est ainsi que ça devrait être. J'en suis persuadée. Quand je serai prête. Quand IL sera prêt. Notre grand amour.

Votre correspondante envoûtée,

Gillian Freeborn.

Le 28 avril

Chère Alexa,

Merci pour votre réponse au sujet de papa.
Vous avez sans doute raison, il doit s'agir d'un
mal-être passager, la crise du milieu de la vie.
Quand il a eu quarante ans, il était déprimé.
Il n'arrêtait pas de répéter : « Oh, grands dieux,
nous y voilà ! »
Une fois de plus, je vais devoir me montrer
patiente et optimiste.

Hier, Rosalie est descendue de sa chambre dans une autre nouvelle création de ZAP. Une robe rose pâle, étincelante, avec un décolleté en V dans le dos. J'en étais malade. Elle était si belle ! Comment une peste pareille peut-elle être aussi jolie ? C'est trop injuste ! Voyant que je l'admirais, elle a tourné sur elle-même en faisant voler ses cheveux.

— Waouh ! a fait papa, désormais abonné aux monosyllabes.

— Rosie, a grondé maman, encore une nouvelle robe ! Elle est ravissante, mais tu vas te ruiner !

— Bien sûr que non ! a lancé Rosalie.

Elle est allée s'asseoir près de la fenêtre, où elle s'est mise à se polir les ongles en attendant l'homme aux semelles de crêpe. Elle a attendu, attendu, essayant de dissimuler qu'elle s'affaissait peu à peu et qu'une larme roulait sur sa joue. L'horloge poursuivait sa course. À neuf heures du soir, Rosalie, le visage en feu, s'est levée et a monté l'escalier quatre à quatre. Nous, on s'est regardés en silence, avec ces mots suspendus entre nous : « Greg l'a plaquée ! »

C'est drôle, Alexa : même si Rosalie m'empoisonne la vie, même si elle adore humilier sa jeune sœur au cœur sensible, j'étais triste pour elle et furieuse. « Comment ose-t-il, ce salaud ? »

Tout à coup, Rosalie a hurlé :

– Gilly, monte !

Je l'ai trouvée devant la glace, où elle effaçait les coulées de mascara sur ses joues.

– Gilly, tu veux bien m'accompagner à Tricks ? Je demanderai la permission à maman. Tu peux porter mon petit haut rose si ça te dit. Il ira bien avec ta jupe bleue.

J'ai failli en tomber à la renverse. Bien sûr, je n'étais pas dupe : elle ne voulait pas gaspiller tous ces efforts : des heures à mariner dans un bain parfumé, à appliquer du fond de teint, du blush, de l'eye-liner, etc. Mais quand même ! Maman a dit d'accord, à condition que papa nous emmène et revienne nous chercher à onze heures. Elle semblait très contente, pensant sans doute assister à la naissance d'une tendre complicité entre ses deux filles. Comme les parents sont crédules !

Rosalie était si impatiente que j'ai eu à peine le temps de me changer. Je me sentais plutôt débraillée. Dans la voiture, elle a sorti sa trousse de maquillage pour m'arranger un peu. Puis elle m'a brossé les cheveux et elle les a attachés avec son clip préféré.

—Tu es vraiment jolie, Gilly, s'est-elle exclamée en admirant son ouvrage.

Et, l'espace d'une seconde, Alexa, j'ai cru, moi aussi, qu'elle avait changé ; qu'elle ne me considérait plus comme le fléau de son existence.

Ça n'a pas duré, vous vous en doutez. Rosalie a bondi dans la boîte, le regard étincelant, sans doute prête à tuer Greg. Qui n'était pas là. Alors, après m'avoir offert une consommation et bavardé cinq minutes avec moi, elle est partie danser avec un garçon élancé nommé Cliff. Je ne l'ai plus revue de la soirée. Personne ne m'a invitée. Je me sentais idiote, assise là, la sœur moche de Cendrillon. J'ai passé une demi-heure aux toilettes ; puis j'ai erré, un verre de jus d'orange à la main, l'air aussi relax que possible. Même ce bavouilleux de Wayne me serait apparu comme un cadeau tombé du ciel. C'est vous dire !

À onze heures moins dix, Rosalie s'est pointée, tout sourires.

— Tu as vu ? Il est trop beau ! a-t-elle dit en désignant le dos de Cliff qui se dirigeait vers les toilettes. Il m'a demandé de sortir avec lui. Écoute, je ne veux pas qu'il sache que papa vient nous chercher. Je lui ai dit que c'était moi qui te raccompagnais. Alors, va retrouver papa dans la voiture et empêche-le d'entrer. J'arrive dans une minute.

Vous vous rendez compte, Alexa ! Papa était déjà garé devant la porte. Une partie de moi mourait d'envie de retourner à l'intérieur et de hurler : « Magne-toi, Rosalie, papa nous attend ! » Mais c'est ce qu'elle aurait fait, elle, et je n'allais pas m'abaisser à son niveau. D'ailleurs, elle est vite arrivée, radieuse et triomphante.

Pendant tout le trajet, ça a été Cliff par-ci ; Cliff par-là. « Et qu'est-ce que j'ai bien pu trouver à ce minable de Greg ! Et Cliff est membre du Tennis Club de Trowton...»

J'aurais dû m'en douter : encore un sportif !

Papa m'a regardée dans le rétroviseur :

— Et toi, Gilly, tu t'es amusée aussi ?

J'aurais pu répliquer : « Ouais ! J'adore être *utilisée* ! J'adore jouer les souillons au service de l'ego de Rosalie ! J'adore être ignorée par la jeune génération de Trowton et passer des heures aux toilettes à déchiffrer des graffiti cochons. »

Voilà ce que j'aurais dû dire. Je me suis tue. Écroulée sur la banquette, j'ai boudé. Je suppose que Rosalie s'est sentie un peu coupable : le lendemain matin, j'ai eu droit à dix petites minutes de gentillesse avant la séance habituelle de vacheries. Ça m'apprendra ! Désormais, c'est chacune pour soi, croyez-moi, Alexa.

Votre correspondante lucide,

G.F.

Le 13 mai

Chère Alexa,

Quatre samedis pourris ! Quatre samedis de cheveux gras ! Qui imaginerait que le crâne des gens est si ignoble ? J'ai même fait un shampooing à un CHAUVE ! Balayer les mèches qui jonchent le sol n'est pas non plus ma tasse de thé. Et, comme si ça ne suffisait pas, j'ai Zandra sur le dos. Sous prétexte qu'elle a un poste plus élevé que le mien – elle donne des coups de peigne ! – elle me traite comme son esclave : « Gilly, va chercher l'huile de coco. Non, pas celle-ci, celle de *coco*, fais un effort ! » ou : « Gilly, tu as passé le balai par là ? Regarde tout ce que tu as laissé ! »

Chaque fois que la porte s'ouvre, j'ai la gorge qui se noue. Ce pourrait être LUI. Je ne me retourne jamais ; je me ménage la surprise. Hélas, rien. Mais j'en ai trop bavé pour abandonner maintenant. Je surveille attentivement sa chevelure : un jour ou l'autre, il lui faudra une coupe. Je serai prête.

Une apprentie-abrutie, qui croise les doigts,

G.F.

Le 15 mai

Chère Alexa,

J'ose à peine vous raconter les dernières nouvelles. Affreux !

Ça s'est passé à la maison, dimanche, à l'heure
du déjeuner. On était à table. Je mourais de faim,
Rosalie aussi, mais personne n'ouvrait la bouche,
tant maman avait l'air folle de rage. Elle fixait
l'horloge et répétait : « Génial ! » toutes les cinq
minutes.

Vers deux heures et demie, la sonnette a retenti. Maman s'est ruée vers la porte telle une finaliste olympique. Ce n'était que Tante Paula, qui a lâché son étui à guitare sur les pieds de maman. Laquelle s'est écriée :

— Oh non ! Il ne manquait plus que toi !

Un peu vexée, Tante Paula a répliqué :

— Quel accueil délicieux ! Michelle, pourquoi tant de haine ?

Juste le genre de propos qui éveille chez notre tendre mère des instincts meurtriers. Sauf que le mal était déjà fait.

Tante Paula est venue nous embrasser en nous appelant « Gillinette » et « Bouton de rose ». Elle a éparpillé ses bagages, reniflé et lancé :

— Oh, non, pas le gigot d'agneau ! Comment diable pouvez-vous manger ces amours de petites choses ? Alors que vous les avez vus gambader dans les prés avec leur maman ! C'est de la barbarie !

De plus en plus hors d'elle, maman a hurlé :

— Figure-toi que je m'efforce de nourrir correctement deux filles en pleine croissance, et tu n'as aucun droit de...

La clé a tourné dans la serrure. Papa a jailli dans la salle à manger. Les boutons de sa chemise avaient sauté, et il chantait à tue-tête : « Je veux être libre, LIBRE. » Il a fait mine de gratter une guitare et tenté d'enlacer maman. Autant étreindre un anaconda atteint d'une rage de dents !

Elle a aboyé :

— Ça suffit ! Il est trois heures moins le quart ! J'ai mieux à faire que d'attendre un idiot ivre mort qui s'imagine avoir encore dix-sept ans.

Soudain, papa a titubé en gémissant :

— Oh là là, je me sens mal !

Il est devenu verdâtre, jaune, blanc.

— Pas sur le tapis ! a hurlé Maman.

Et alors, Alexa, il s'est mis à vomir, mais des horreurs : qu'il n'en avait rien à cirer de ce crétin de tapis mauve, comme de toutes les monstruosités inutiles qui meublent cette maison infâme. Tout ça lui donnait la nausée, et, dieux du ciel, où était passé leur IDÉAL ? Elle l'avait trompé sur sa vraie personnalité de sale petite bourgeoise. Dire qu'il bossait jour et nuit comme un robot décervelé sur cet ordinateur inhumain à créer des programmes afin que d'autres imbéciles s'achètent de faux manoirs sans âme, etc. Maman lui a renvoyé qu'elle aussi, elle bossait sans cesse afin de rendre notre maison agréable, et qu'il aurait été le premier à se plaindre si on ne l'avait pas achetée...

Nous trois, on restait là, figées. Dire qu'ils se battaient comme des chiens alors que cette décision, ils l'avaient prise ensemble !

Là-dessus, papa est monté dans sa chambre, et il a dû s'affaler sur le lit tout habillé.

Maman s'est calmée d'un coup. Elle nous a priées de nous asseoir et a servi les plats avec des gestes lents et précis, comme si elle pratiquait une opération du cerveau. Puis elle a reniflé, et d'énormes larmes ont roulé dans la saucière. Je commençais à trouver que papa était vachement injuste – même si j'étais d'accord avec lui au sujet du tapis mauve et autres vases lilas.

Maman a picoré un chou de Bruxelles. Moi, j'ai vidé mon assiette, même la sauce aux larmes, en prétendant que c'était un régal.

Tante Paula, Rosalie et moi avons lavé la vaisselle. Puis Rosalie est partie chez son amie Tania. Tante Paula a rassemblé ses bagages et regagné Londres sans autre commentaire. Je suis restée assise dans le silence ponctué par les ronflements de papa. Alexa, je ne sais plus quoi penser de l'amour. Croyez-vous qu'il est possible que maman ait éprouvé pour papa ce que je ressens pour Jonathan ? Croyez-vous qu'ils pètent les plombs ? Croyez-vous que je pourrai devenir plus tard une petite bourgeoise avec une maison en toc ? M'aimera-t-IL un jour ? Que va-t-il arriver ? S'il vous plaît, donnez-moi votre avis !

G.F., une âme seule du lotissement de Brenbridge, un lundi soir sinistre.

Le 19 mai

Chère Alexa,

D'accord. Mais qu'en savez-vous ? Comment pouvez-vous être si sûre de vous ? Quand je lis votre rubrique, j'ai l'impression que tout va forcément s'arranger pour tout le monde. Ce n'est pas crédible ! Que répondriez-vous si je vous annonçais : « Papa et maman ont divorcé. Ils m'ont placée dans un établissement tenu par des sadiques qui torturent leurs pensionnaires. » Hein, je vous demande un peu !

Cela dit, je crois le savoir. « Ne t'inquiète pas, Gilly. Ce genre de choses arrivent. Des tas d'enfants ont vécu cette expérience, et ils s'en sont sortis. Ils mènent aujourd'hui une vie normale et heureuse. » À tous les coups, vous diriez ça !

Bien sûr, je sais que vous recevez des millions de lettres par semaine et que ce n'est pas évident. Alors, vous donnez des conseils au petit bonheur la chance.

J'imagine que vous disposez d'un logiciel spécial, capable de résoudre tous les problèmes des ados.

Par exemple :
1. LES SEINS
—Trop gros
— Qui pendouillent
—Trop menus
—Trop hauts
—Trop bas
— Inexistants
— Mamelons poilus
— L'horreur indicible

Je vous vois presser la touche qui correspond à cette dernière option. Une lettre standard s'affiche, il ne reste plus qu'à la personnaliser :

« Chère petite âme en peine,

Je vous en prie, ne vous désolez pas de ce que vos seins aient des poils roux frisottés, des verrues en chou-fleur, et qu'ils pendouillent jusqu'à vos genoux. Quelle importance ? Chaque corps est différent et unique. Vous n'imaginez pas le nombre de filles qui se gâchent la vie pour des broutilles. Ça fait partie de l'adolescence. »

Pourquoi ne pas être honnête et répondre :

« Cher petit monstre obèse,

Grands dieux, vous devez être hideuse ! Quel manque de bol ! Ce doit être affreux de peser 95 kilos pour 1 mètre 21. Je n'ose même pas imaginer ce qu'on ressent à trimballer cette énorme masse de graisse tremblotante. Et des seins pareils, rien que d'y penser, j'en vomis ! Si j'étais vous, j'émigrerais au fin fond de la Mongolie, planquée dans un baril de pétrole. »

Au moins, ça aurait le mérite d'être direct et sincère.

Donc, vous pensez que ça va s'arranger entre mes parents. Il suffit que je sois « calme et compréhensive ». Car « tous les mariages ont des hauts et des bas ». Eh bien, Alexa, j'espère que vous avez raison, quoique l'atmosphère ne s'améliore guère. Maman passe des heures au téléphone avec son amie Jackie. Quand elle s'est habillée pour se rendre à un cocktail chez les Price, papa s'est laissé tomber sur le canapé et a refusé de l'accompagner. Il n'allait pas gâcher une soirée cool pizzatélé pour se retrouver avec une bande de cadres prétentieux en costume trois-pièces-cravate ni s'empoisonner avec leur champagne et leur caviar pourri.

Maman a rétorqué :

— OK, si tu veux te conduire comme le plouc grossier que tu es, libre à toi.

Et elle est partie seule. J'ai surpris cette conversation parce que je me trouvais aux toilettes du bas.

En tout cas, j'ai décidé de mettre la chance de mon côté. Je vais les aider de toutes mes forces à retrouver la passion de leur jeunesse : il suffit de dénicher des disques de l'époque et les mettre non-stop. Le père de Sarryan possède une compilation des tubes des années soixante-dix. Ça vaut toujours le coup d'essayer ! Ce sera mieux que rien.

Vous comprenez, il ne reste que quelques semaines avant les vacances d'été. On est supposés aller à Majorque, dans un hôtel de luxe avec piscine à remous. Je ne peux courir aucun risque.

Sans rancune,

G.F.

Le 23 mai

Chère Alexa,

Désolée, une fois de plus. Bien sûr que je ne vous prends pas vraiment pour un ordinateur ! Je sais que vous devez vous montrer positive, aider les gens à voir le bon côté des choses. Sauf que, parfois, ça ne marche pas !

Au moins, j'ai mes poèmes. Grâce à eux, j'arrive à garder la tête hors de l'eau. Une chance, car de SON côté, j'atteins des sommets d'insignifiance et d'invisibilité. Combien je regrette qu'il se laisse pousser les cheveux... Dire que je gaspille les plus beaux samedis de ma jeune existence dans ce salon pourri ! Giorgio virevolte autour de ses clientes en flattant leur ego avec des « Chérie, tu es bellissima ! » et des « Cette couleur te va à mourrrrir ! ». Et cette peste de Zandra, de plus en plus hautaine, genre grenouille qui veut se faire aussi grosse que le bœuf...

Dimanche, nous sommes allés voir Mamie à Bournemouth. Rosalie s'est exhibée sur la plage dans son nouveau bikini rose. L'eau était froide : j'ai gardé mon T-shirt et laissé les vagues me lécher les orteils en rêvant.

Alors, soudain, le ciel est devenu noir de fumée.

L'avion se crashe au large. La partie où se trouvait notre rangée de sièges s'est brisée. On est ballottés par la mer déchaînée dans notre radeau fragile. Je suis statufiée, en transe. LUI déboucle ma ceinture de sécurité et arrache mes vêtements trempés en murmurant :

— Oh, mon amour, que tu es belle ! Je vais te sauver, mais il faut agir vite, les requins arrivent.

Ça me galvanise. Je me jette bravement à l'eau. On nage, on nage. Une île apparaît au loin, étincelante, avec ses palmiers qui nous invitent à accoster. Épuisée, je m'évanouis sur le rivage.

Des bras bruns et puissants m'encerclent, des mains douces caressent ma peau. Mon Dieu, IL est blessé ! Une horrible balafre à la cuisse. Il s'écroule ; je le soutiens. Une force surhumaine m'anime. Je l'emmène à l'ombre d'un magnolia. Ses yeux sont clos. Je crie :

— Ne meurs pas, mon amour !

Pendant deux jours et deux nuits, je veille sur lui sans me soucier du danger qui rôde alentour. Je nettoie sa plaie, lave son visage. Mon souffle frais et tendre apaise sa fièvre. Au matin du troisième jour, ses cils palpitent. Il ouvre les yeux — ses yeux bruns au regard intense.

— Oh, mon amour ! s'écrie-t-il. Comment un tel bonheur est-il possible ? Le destin nous a gardés en vie afin qu'on soit ensemble, toi et moi, à jamais !

Main dans la main, on explore notre île. Les arbres croulent sous les fruits exotiques. On se désaltère avec le suc d'une noix de coco.

— On restera ici pour toujours, mon amour, dit-il, loin du monde cruel. Comment ai-je pu penser une seconde que j'aimais cette grande ficelle sans âme ?

On court vers la mer. Nos corps se touchent. Nos lèvres...

Alexa, rien que de l'écrire, j'en tremble. Je crois que je vais arrêter là.

En vérité, c'est maman qui a interrompu brutalement mon rêve éveillé en me disant :

— Mets-toi de la lotion antimoustiques, Gilly ! Tu sais que tu es allergique aux piqûres d'insectes.

Et j'ai dû réintégrer mon propre corps. Rouge comme une écrevisse. Le ventre zébré par le sable. Une mouche morte scotchée à ma jambe. Ah, la réalité est cruelle !

J'espère avoir mieux à raconter bientôt.

Bisous,

G.F.

Le 26 mai

Chère Alexa,

Pennings est un sale hypocrite, un homme de la pire espèce, comme les autres. Sarry et moi sommes allées l'interroger à propos de notre liste de revendications. Monsieur a pris son air faussement gentil :

— Il y a là de bonnes idées, Mesdemoiselles, parfaitement logiques et saines dans un monde *idéal*… S'il ne tenait qu'à moi… Mais je dois tenir compte de l'Éducation nationale, de l'administration. Je suis certain que vous comprendrez. On ne change pas le monde en un jour ! Je peux vous accorder deux ou trois faveurs. D'ailleurs, j'ai déjà prévenu Mme Brun que les garçons s'occuperaient du buffet pour notre journée Portes ouvertes. Et j'ai suggéré à M. Creswell de prévoir un entraînement spécial, après les cours, au cas où des filles seraient tentées par le foot ou le rugby...

— Je crains que ce soit insuffisant, Monsieur Pennings, ai-je répliqué. Très insuffisant. Notre école est au-dessous de tout : ailleurs, les droits de la femme sont garantis. Les membres de notre comité ne vont pas apprécier, croyez-moi !

Vous savez ce qu'il a répondu ?

— Écoutez, j'ai du travail, je dois m'y remettre. J'aimerais que vous manifestiez autant de fougue pour vos études que pour votre campagne féministe.

Là-dessus, il s'est levé et nous a mises à la porte.

J'ai aussi sec programmé une réunion du CAFCA pour le soir même. Sarry était prête à déclencher une grève. Mais il m'est venu une meilleure idée : écrire à la presse. Dénoncer l'injustice. Alerter le grand public. On l'a fait sur-le-champ.

Annie ne s'est même pas donné la peine d'assister à la réunion. Je vous jure, il y a des gens qui font passer leurs sentiments personnels minables avant les grandes causes de l'humanité. J'espère au moins qu'IL lit *L'Écho du soir*.

Je vous tiens au courant.

G.F.

Le 31 mai

Chère Alexa,

L'amour me coupe le souffle
Lorsque je contemple
Son visage adorable.
Il cloue mes lèvres.
La seule ode que j'aie chantée
Me fut dérobée
À la gloire de l'amour même.
Mais, las,

Aucun écho
N'a répondu.

Qu'en pensez-vous ? Ça prend tournure, non ? D'accord, ce n'est pas encore parfait, ça ne rime pas, mais je sens que je tiens le bon bout. J'exprime un peu de mon tourment intérieur.

Parfois, je n'arrive pas à dormir. Je reste allongée pendant des heures à écouter les bruits de la circulation, les voix étouffées de papa et maman qui se disputent, les talons de Rosalie qui claquent sur le trottoir. Quand les bruits s'arrêtent, je suis terrifiée à l'idée que le monde entier est peut-être mort et que je suis la seule survivante, gisant dans mon lit, au milieu d'une ville dévastée. Mes oreilles bourdonnent. J'ose à peine bouger de peur que le ciel s'écroule. Avez-vous déjà ressenti ça ? Dans ces moments-là, j'écris des poèmes dans ma tête, une berceuse pour glisser dans le sommeil. Le lendemain, j'essaie de les retrouver, mais ils ne me semblent pas aussi bons. Celui d'hier soir était plutôt réussi, je crois, mais je n'ai retenu que la dernière ligne :

Sa passion rouge feu, fusée en flammes qui incendie la nuit noire.

Je devrais mettre du papier et un crayon près de mon lit, vous ne pensez pas ?

Avec ces nuits blanches, je suis fatiguée et de mauvaise humeur, aussi hargneuse qu'un crocodile affamé. Papa me répète sans cesse de me secouer. Maman n'arrête pas d'essayer de me forcer à manger de la viande, comme si c'était le produit miracle pour sortir de l'adolescence ! Et vu que je refuse, elle la *camoufle !*

— Goûte cette délicieuse salade, roucoule-t-elle.

Naturellement, je découvre du blanc de poulet planqué au milieu des endives. Je ne suis pas si gourde, Alexa, quoi qu'en pensent les gens.

Je sais qu'ils me trouvent paresseuse. En vacances, je devrais aller à la piscine, jouer au tennis, dépenser l'excédent d'énergie « qui caractérise les filles de mon âge ». Sauf que j'en manque cruellement, d'énergie ; c'est tout juste si je parviens à me bouger. Je me sens molle, moribonde. Et toujours pas de poitrine ! Pourtant, les douleurs persistent. Parfois, en bombant le torse, il me semble deviner un petit renflement. Je n'en

suis pas certaine. Oh, vite, que ça pousse ! Pourquoi mon corps est-il le seul à refuser les lois de la
nature ?

Votre correspondante écorchée vive,

G.F.

Le 4 juin

Chère Alexa,

Jamais je n'ai été aussi près de perpétrer un meurtre. Zandra, Zandra ! Ce nom évoque une vision de lézards, de crapauds visqueux, de monstres rampants aux petits yeux de fouine...

Un autre samedi de folie. J'étais à la torture dans ma blouse en nylon qui me collait à la peau. Je me tenais aussi près que possible du ventilateur afin de sécher ma frange, d'où dégoulinaient des torrents de sueur qui inondaient mon front, glissaient le long de mon nez, pour atterrir sur le crâne des clients. Et pendant ce temps, Zandra ne me quittait pas des yeux, littéralement *hystérique* (j'ai compris plus tard pourquoi !), et me perçant les tympans avec ses :

— Gilly ! Quand vous aurez enfin terminé, pensez à renouveler le stock de serviettes-épousseter le comptoir-répondre au téléphone-éponger les flacons de conditionneur...

J'aurais dû me douter de sa perversité ; j'avais perçu des vibrations néfastes.

— O'Neil. Coupe et brushing !

Juste comme ça. J'étais en train de shampooiner Mme Parkinson lorsque ces mots tant espérés me sont parvenus au milieu du ronflement des séchoirs. Ils m'ont secouée depuis la racine des cheveux jusqu'aux doigts de pied. Enfin !

Le temps de reprendre mon souffle, une flèche en blouse verte filait déjà à la réception. Un vent de panique mêlée de fureur m'a saisie : ainsi, ce crapaud de Zandra avait épluché le carnet de rendez-vous. D'où son attitude délirante de la matinée.

Pourquoi n'y avais-je pas songé ? La panique et la colère ont uni leurs forces pour me dicter une parade. Sans réfléchir, j'ai versé le flacon entier de shampooing sur la permanente de Mme Parkinson, que j'ai massée comme une enragée. En une seconde, son crâne a été surmonté d'une tour de mousse qui augmentait à vue d'œil. J'ai hurlé :

— ZANDRA ! Ce shampooing est bizarre. Vite, regardez ! Il est pris de folie.

Zandra, qui LE drapait amoureusement d'une serviette, fut bien obligée d'abandonner un instant sa douce proie.

— Espèce d'idiote, vous en avez trop mis !

— Absolument pas ! Ce doit être un flacon mutant qui concentre à mort le produit. Vous avez assez d'expérience pour gérer cette situation de crise. Je me charge de votre client !

Rouge de fureur, Zandra a saisi la douchette. Plus elle rinçait, plus la mousse montait. Moi, le cœur battant, j'ai changé de bac, je me suis penchée sur LUI, j'ai passé la main dans ses boucles soyeuses.

J'en étais là quand Giorgio s'est précipité en criant :

— Que se passe-t-il ici ? D'où vient toute cette mousse ?

À ce stade, Mme Parkinson avait pratiquement

disparu, transformée en abominable femme des neiges.

— Oh, Monsieur Giorgio, c'est Gilly ! Elle l'a fait exprès ! Elle a utilisé le flacon entier !

Quelle vermine, quelle larve immonde ! Et Giorgio de hurler, et tous les clients de me dévisager, les yeux ronds. Moi, excédée, j'ai pensé que tous ces samedis avaient été perdus. J'allais être virée ; et IL était assis, exposé, vulnérable, ne perdant pas un mot de l'humiliation que m'infligeait ce crétin de coiffeur. Je n'allais pas supporter ça. De ma voix la plus posée, j'ai dit :

— Je n'y peux rien si ce shampooing est pourri. D'ailleurs, j'ai mieux à faire que de me faire engueuler. Je suis *poète* !

Là-dessus, j'ai arraché ma blouse rose, attrapé mon sac et passé la porte au moment précis où IL s'écriait :

— Hé, je crois que je la connais !

Doux carillon à mes oreilles. Il se souvient de moi. Ma silhouette est gravée dans sa mémoire !

Ainsi s'achève, Dieu merci, ma vie de coiffeuse. Quand Zandra entendra parler de moi à la télé, elle comprendra enfin ce que je vaux !

En vérité, Alexa, je suis un peu déprimée.

Retour à la case départ. Je dois trouver un autre plan. Je vous raconterai.

Bisous,

G.F.

P.S. Contente que vous trouviez mes poèmes meilleurs. J'en ai déjà écrit vingt-quatre. Mon carnet bleu est presque plein.

Le 16 juin

Alexa,

Que faire ? Que faire ? La semaine prochaine, il y a une soirée à Londres. J'ai l'âge, non ? Je veux dire, à quatorze ans, on peut prendre le train sans devenir une droguée à l'aller ni être agressée par des voyous au retour. D'autant que Sarryan et Emilie seront là : on ne va quand même pas nous kidnapper toutes les trois !

C'est l'anniversaire de la sœur aînée de Sarry. La fête a lieu sur une péniche. Judy est invitée, si vous voyez ce que ça signifie...

Lundi, Sarry m'a demandé :

— Tu penses que ta mère te laissera y aller ?

— J'sais pas, ai-je répondu, énigmatique.

En réalité, c'est peu probable, et ça me met en pétard, Alexa. Pendant le cours de maths, je méditais sur l'injustice de la vie, alignant les gros mots dans ma tête. « Merde de merde, je peux toujours poser la question ! Qu'est-ce que je risque ? Ils ne vont pas me *tuer,* quand même ! »

Ce que je risque ? Ils vont me fixer avec des yeux de lynx, muets de stupeur, tandis que Rosalie bramera :

— À son âge, je n'aurais même pas envisagé une chose pareille !

Donc, je venais de décider d'y aller en douce quand la voix perçante du prof m'a vrillé les tympans :

— Alors, Gillian, cet exercice ?

Naturellement, ma page était blanche, et j'ai eu droit à un savon. Mais ça m'était bien égal. Tout mon être chantait : « J'irai, j'irai, et je me fiche du reste ! »

À très bientôt,

G.F.

Le 10 juin

Chère Alexa,

Juste un petit mot. Hier, j'ai demandé à Sarryan :
— Je fais quel âge, à ton avis ?
Elle m'a dévisagée un long moment avant de
lâcher :
— Franchement, Gilly, avec ce jean et ce T-shirt,
tu as l'air d'avoir ton âge, quatorze ans. Et la poitrine plate n'arrange rien. T'inquiète, ça va venir !
La cata ! Je le savais ! Pourquoi poser des ques-
tions quand on connaît la réponse, hein ? C'est

comme quand maman dit : « Tu trouves que j'ai pris du poids ? » et que papa jette son journal, enlève ses lunettes, pour déclarer : « En effet, je n'avais pas remarqué, mais tu es ÉNORME. Une vraie baleine. Et ces fesses ! »

« Qu'est-ce qu'elles ont, mes fesses ? Ne sois pas odieux, je n'ai pris que deux petits kilos. »

Et, bien sûr, ça débouche sur une engueulade. Maman aurait mieux fait d'interroger son miroir ! Pourtant, je la comprends. On espère toujours que la glace vous renvoie une image fausse.

Pour en revenir à Sarryan, elle a promis de me maquiller avant la soirée. Et elle cachera chez elle la veste en lin de Rosalie que je compte mettre.

Je vous raconte tout, promis !

G.F.

Le 19 juin

Chère Alexa,

C'est mal de mentir, je le sais. Trop tard. Sarryan et Emilie ne vont plus jamais me parler. Ma propre famille me traite comme une paria, quelque chose de plus minable qu'un asticot, un microbe, une bactérie.

En bref, j'y suis allée. J'ai raconté que je passais la soirée à écouter de la musique chez Sarryan. Ce qui était vrai puisqu'on a mis notre CD préféré tandis qu'elle me métamorphosait en femme fatale.

— Tu es superbe ! s'est-elle écriée en admirant son œuvre.

Je n'en étais pas si sûre. J'avais les yeux cernés d'eye-liner noir, les joues cramoisies et les lèvres rose fluo. Je me sentais plutôt comme une gosse de cinq ans qui joue à se barbouiller la figure. Mais c'était l'heure de partir. J'ai enfilé la veste en lin crème de Rosalie et on a filé retrouver Emilie à la gare.

Sitôt dans le train, je me suis rendu compte de l'*énormité* du truc. Et si maman appelait la mère de Sarry, pour apprendre que je n'étais pas là ? Du coup, j'étais sûre que j'allais me perdre, rater le dernier train et que mes parents appelleraient la police. Mes amies bavardaient comme des pies tandis que mon estomac se tordait de trouille. J'aurais donné n'importe quoi pour me retrouver sur notre vieux canapé à grignoter des chips devant la télé.

Le petit ami de la sœur de Sarry nous attendait à la gare pour nous conduire à la péniche. Je me suis sentie mieux : il n'y avait pas encore trop de monde. Sarry a demandé à l'orchestre de jouer notre air de rap, et on a dansé le switch. Tout le monde a applaudi ; je me suis détendue. C'était un endroit génial, avec un éclairage dément et des buffets pleins de nourriture et de boissons. Et puis, IL est arrivé. Tout le monde s'est tourné pour l'admirer, il était splendide ! Judy le suivait, dans une robe en soie bleue superbe, une veste noire et... son énorme bouton sur le nez. Bien fait ! Il doit être du genre qui résiste à tous les traitements. Quand IL est allé chercher des verres, on s'est précipitées sur Judy pour la couvrir de compliments sur sa tenue. Mais elle était obsédée par son bouton.

— J'ai tout essayé, a-t-elle gémi d'une voix nasillarde (elle parlait en cachant son nez derrière sa main) ; rien ne marche, et ça empire !

Là-dessus, IL est revenu. Sarry s'est éclipsée avec Michael Barnes. Ne voulant pas risquer d'avoir une crise cardiaque devant Judy, j'ai traîné Emilie au buffet, d'où je pouvais LE contempler à loisir. Deux garçons se sont approchés et ont engagé la conversation avec Emilie, m'ignorant totalement, jusqu'au moment où l'un d'eux a lancé :

— C'est ta petite sœur ?

Ulcérée, je me suis détournée pour prendre un verre de jus de fruit. L'erreur fatale !

Alexa, je dois admettre qu'au tréfonds de moi-même je *savais* que ce n'était pas du jus de fruit. Après le premier verre, je me suis sentie toute pétillante. Oubliés mes mensonges, papa, maman et le reste. C'était merveilleux. J'en avais marre d'être la fille laissée pour compte. J'ai dû engloutir deux ou trois verres car, soudain, la musique m'a paru assourdissante, et la pièce s'est mise à tournoyer. La dernière chose dont je me souviens, c'est qu'on déversait sur moi des litres d'eau froide. En plein brouillard, le crâne vrillé par la migraine, j'ai soudain perçu ces mots :

— Tes parents sont là !

Ce que j'ignorais, c'est que j'avais vomi sur moi et qu'Emilie avait dû me *déshabiller*. Vous imaginez la réaction de mes parents quand ils m'ont découverte allongée par terre, ma culotte rose visible comme un phare ! Papa a insulté mes amies, menaçant de « dire deux mots à leur famille au sujet de leur influence déplorable ». Maman parlait d'appeler les flics. Emilie, en larmes, a bégayé :

— Elle était malade, je vous jure ! Il ne lui est rien arrivé !

Ce n'est qu'après avoir interrogé chaque personne de l'assistance — serveurs compris — qu'ils ont enfin cru que je n'avais été ni droguée, ni dépravée. Seule consolation : IL n'avait rien vu. Déprimée par son bouton, Judy avait exigé qu'ils partent tôt.

Voilà ce qui s'était passé : ne me voyant pas revenue à minuit, papa avait téléphoné chez Sarry et découvert le pot aux roses. Lui et maman avaient sauté dans la voiture et foncé à Londres. Sarry va se faire engueuler pour avoir couvert mon mensonge. Quant à moi, Alexa, je ne vous dis pas ! Vous pensez sans doute que je l'ai bien mérité. Je n'aurai sans doute jamais l'autorisation de sortir.

Votre correspondante punie et repentante,

G.F.

P.S. Cette expérience humiliante a au moins un aspect positif. Écroulée à l'arrière de la voiture, secouée de nausées, j'étais suffisamment consciente pour m'apercevoir que papa et maman s'adressaient enfin la parole ! C'étaient des phrases du genre : « Dire qu'elle n'a que quatorze ans ! » et : « Comment va-t-on gérer ça ? » ou : « Ça aurait pu être pire ! » Comme l'affirme le proverbe, à quelque chose, malheur est bon. En tout cas, j'essaie de m'en convaincre.

Le 25 juin

Chère Alexa,

Les choses se calment un peu après la tempête.
Figurez-vous que j'avais complètement oublié de
remettre à sa place la veste en lin de Rosalie. Elle
l'a retrouvée deux jours plus tard, au fond d'un
sac en plastique. Je vous laisse imaginer ses hurle-
ments ! Elle s'est jetée sur moi comme une tigresse
en furie. J'ai cru ma dernière heure arrivée, mais
maman s'est interposée :

— Gilly paiera le nettoyage à sec. Et, si cela ne suffit pas, elle te rachètera une veste !

Après mes devoirs, je passe mon temps à laver, repasser, balayer, sage comme une image. Mercredi après-midi, j'ai proposé à papa de l'aider au jardin en bêchant un massif. Il a répliqué que je ferais mieux de piocher ma propre conscience afin d'y mettre un peu d'ordre. Alors, j'ai dit :

— Comment puis-je vous prouver que je regrette vraiment ?

— En débarrassant le garage !

La corvée que maman exige de lui — en vain — depuis des années ! Il a ri, moi aussi ; c'est bon signe.

Sarry et Emilie ont été super sympa.

— Si tu avais vu la tête de ton père quand il t'a découverte ! ont-elles gloussé.

Ça ne devait pas être triste, en effet !

Cette nuit, rêve délicieux. Je ne me souviens plus de tout, mais ça commençait par mon maillot de bain devenu trop petit... En me réveillant, je serrais mon oreiller contre moi avec passion. Ah, la puberté !

Bisous,

G.F.

P.S. Maintenant que tout est rentré dans l'ordre, papa et maman recommencent à se chamailler... Où ça va nous mener ?

Le 2 juillet

Chère Alexa,

Je deviens obsédée par mon visage. Je ne peux pas passer devant une glace sans chercher une éruption ou une difformité. Je me sens coupable d'être aussi FUTILE alors que la planète est menacée. Les catastrophes pleuvent partout, famines, explosions, inondations, pollution... Alors, quelle importance a ma petite personne ? Eh bien, cet argument ne tient pas. Je continue à me scruter. Et savez-vous ce que j'ai découvert ? J'ai des narines énormes, deux gouffres béants ! Vu de face, mon nez semble normal, mais du dessous, c'est l'horreur ! Du coup, je me suis allongée sur le tapis du salon pour observer les narines de Rosalie. Elles sont deux fois plus petites que les miennes.

Il y a pire. Samedi dernier, la chaleur était suffocante. Je prenais l'air à la fenêtre de ma chambre quand Rosalie est sortie dans son bikini en lycra rose. Elle avait l'air de flotter. Elle s'est allongée dans la balancelle, un pied pendant. Ses chevilles sont toutes menues, et elle a de longues jambes fines. Maintenant, j'en suis sûre : elle a hérité de l'ossature délicate de notre grand-père, un homme fin et racé. Et moi, je me trimballe des os de rhinocéros. Quelle injustice !

Du coup, malgré les 30 °C à l'ombre, j'ai fermé mes rideaux, allumé ma lampe de chevet et dévoré *Les Hauts de Hurlevent*. Il ne me reste plus que dix-huit pages à lire. Où puiser ensuite un tel réconfort ? Je devrais peut-être entamer *Autant en emporte le vent*.

Dites-moi, Alexa, vous me trouvez futile et égoïste ? Ou est-ce un passage obligé de l'adolescence ? J'ai besoin de savoir. Et aussi, qu'est-ce que la rhinoplastie ? Ça sonne comme « rhinocéros », mais il s'agit de chirurgie esthétique du nez, non ?

Bisous,

G.F.

Le 7 juillet

Chère Alexa,

Merci de m'avoir épargné le fameux « chacun
est différent et unique ». Et vous avez raison :
quand je me sens bien, j'oublie mes narines de
chamelle. De toute façon, elles ne vont pas disparaître par enchantement, alors...

Jeudi, je me suis *évanouie !* Mon cœur s'est
arrêté. Il a d'abord cogné comme un malade dans
ma poitrine, puis stop. Emilie m'a raconté que je

suis passée du rouge fluo à une pâleur de fantôme avant de m'écrouler devant tout le monde.

La température avoisinait les 100 °C dans le gymnase, où M. Pennings nous avait réunis. Il avait commencé un discours sur « la jeunesse qui a la lourde responsabilité de bâtir l'avenir ». Je marmonnais dans ma tête : « C'est ça, sale hypocrite ! » quand il a ajouté :

— J'ai invité quelques élèves de ce collège à nous confier leur sentiment à ce sujet.

Je ne m'y attendais pas. IL est apparu, sa chemise bleue déboutonnée. Il a récité un poème. Ça disait : « À quoi servent les jours ? Les jours sont la demeure où nous vivons…» Des pensées si profondes, poétiques, que j'avais envie de crier : « Je suis poète, moi aussi ! » Au lieu de quoi, je suis tombée dans les pommes. Alexa, ça devient carrément dangereux ! En tout cas, vous voyez, non seulement il est beau, intelligent, drôle, mais il partage ma passion littéraire. Nos âmes vibrent à l'unisson.

Je vous embrasse,

Gilly.

Le 10 juillet

Chère Alexa,

... J'écoutais la brise légère qui agitait l'herbe, et je me demandais comment quelqu'un pouvait imaginer que ceux qui dormaient dans cette terre tranquille eussent un sommeil troublé.

Pas mal, hein ? Ce n'est pas de moi. Ce sont les derniers mots d'Emily dans *Les Hauts de Hurlevent*. Désormais, je me sens larguée. Désertée. Je m'en doutais. J'ai découvert que, même si on se sent très mal, quand on a la chance de pouvoir se plonger dans un livre, le monde peut vous marteler des âneries du type : « Tu te nourris mal / tu n'arriveras jamais à rien si tu ne travailles pas / espèce de sale espionne », etc. Pendant ce temps, vous, vous marchez « par un après-midi frais et mouillé, quand l'herbe et le sentier bruissent du froissement des feuilles mortes détrempées »... Ils peuvent hurler : « Je te déteste ! » Ils sont dans une autre réalité, comme ces gens qui s'agitent sur un écran de télévision, le son coupé.

Donc, j'ai commencé mon exposé – un « essai », selon Mme Goldstein. Ce sera le meilleur de ma vie. Je débuterai par un poème dédié à Emily. Bonne idée, non ? Parfois, je songe qu'elle nous observe de là-haut, stupéfaite de voir tant de gens bizarrement vêtus lire son livre. C'est peut-être vrai. J'aimerais qu'elle sache combien je l'apprécie. Comme elle m'a aidée à traverser des heures sombres. Oui, je vais écrire l'essai du siècle. C'est drôle, je m'en sais capable.

Je vous embrasse,

Gilly.

Le 13 juillet

Alexa,

J'ai quelque chose. Quelque chose de LUI,
qu'il a porté tout contre lui et qui s'est imprégné
de son odeur.

Ça s'est passé dans les vestiaires, après la gym,
dernier cours de la journée. J'ai traîné pour
prendre ma douche : je ne supporte pas de voir
toutes ces filles nues. Même Phyllis a des seins,
petits mais visibles. Quant à Judy, elle se pavane

sans complexe, tout en elle est parfait. Je n'avais envie de parler à personne. J'ai regardé partir Annie, bras dessus bras dessous avec sa nouvelle copine, non sans un pincement de jalousie (je l'avoue !).

Après ma douche, je suis restée là un temps fou, mes cheveux ruisselant sur mes épaules, à écouter de la musique sur mon baladeur. Je pensais à LUI, à Judy, à Annie, Sarryan, Emilie, à mes parents, à mon essai... J'ai attendu le dernier accord pour jeter mon sac sur mon épaule et sortir.

Allez savoir pourquoi, mon instinct m'a poussée à entrouvrir la porte du vestiaire des garçons. Et là, sur le carrelage bleu, tranquille et solitaire, un sac de sport noir. Je *connaissais* ce sac !

J'ai dû rester en transe pendant deux minutes. Il irradiait, comme s'il contenait un pouvoir magique, une promesse, une lampe d'Aladin. Le destin me servait sur un plateau mon plan B. Mais que faire ? Le lui rendre aussitôt, contre un merci ému ? Non. *Elle* se trouverait avec lui, et le charme en serait rompu. J'ai ramassé le sac et l'ai planqué sous mon blazer. Un regard à gauche, un regard à droite, et j'ai filé comme une voleuse.

Au dîner, steak haché-frites. J'en ai repris deux fois. Maman n'en revenait pas !

Le sac attendait sous mon lit. J'ai senti sa présence en franchissant le seuil, une présence vivante. J'ai poussé le verrou, allumé toutes les lumières, tiré la fermeture à glissière et examiné le contenu — lentement. Le maillot de foot, le short noir, une serviette verte, les socquettes d'un blanc de neige, un sachet entamé de bonbons, un stylo, un caleçon propre. J'espérais en secret trouver un carnet, quelque chose qui contenait ses pensées intimes. Où je pourrais lire : « J'ai croisé cette fille de troisième » ou : « Judy commence à m'énerver », ou : « J'étais chez le coiffeur quand cette fille incroyable les a envoyés balader ». Bien sûr, ce n'était qu'un de mes pitoyables fantasmes, l'un de mes rêves éveillés délirants, qui ne reposent sur rien dans la dure réalité de ce monde cruel.

Qu'importe, Alexa. J'ai serré le tout contre moi, respirant l'odeur de son corps. Si seulement je pouvais posséder une chose ! Un petit rien de LUI à chérir. Alors, ça a fait tilt. Une CHAUSSETTE ! Une simple pièce de coton blanc qui a touché son pied. Ça ne lui manquerait pas. On perd sans cesse des chaussettes, non ? Le monde est plein de ces objets solitaires, oubliés au fond d'une corbeille à linge ou d'une machine à laver. J'ai caché mon trésor en haut de ma penderie, dans une boîte spéciale.

Ce matin, j'ai rempli le sac et l'ai remis sous mon lit. Le plan B nécessite patience et prudence. Mon cerveau, pris de panique, tourne à vide : clic, clic, clic. C'est mon avenir qui se joue, Alexa !

Gilly.

Le 15 juillet

Chère Alexa,

Lisez-moi ça !
    L'empreinte des pas d'Emily
    Était légère et fluide.
    Piste tissée de féerie,
    Trace translucide, limpide.
    La lande elle arpenta, écorchée vive
    Dessinant des sentiers furtifs
    Où l'on brûlerait de la suivre.

Je poursuis en évoquant la demeure solitaire et l'amour secret d'Emily qui ont inspiré ce chef-d'œuvre. J'analyse sa personnalité unique, « plus forte qu'un homme, plus candide qu'un enfant », pour citer sa sœur Charlotte. Une fois que j'ai commencé à écrire, je ne pouvais plus m'arrêter. Vous vous rendez compte, Alexa, j'ai déjà noirci treize pages ! J'en suis plutôt contente. Je me demande ce qu'a pondu Tracey, miss-je-sais-tout, *le* cerveau d'Angleterre...

Mon œuvre est rangée dans un classeur bleu neuf, en haut de ma penderie, tout près de la BOÎTE. Chaque fois que je me sens à cran, molle, ridicule ou insignifiante, je pense à eux, mes talismans.

On doit rendre nos essais vendredi prochain. Croisez les doigts, Alexa.

Je vous embrasse fort,

Gilly.

Le 20 juillet

Chère Alexa,

Plan B exécuté lundi. Pour une fois, j'étais contente d'avoir cours de cuisine. On devait faire un gratin dauphinois. Normal que j'arrive avec l'énorme sac à dos de papa, pour transporter mes patates et... le sac.

J'ai consulté le planning. Les élèves de première finissaient la journée par un cours de biologie. Suivait une demi-heure de battement avant l'entraînement de l'équipe de foot. Une demi-heure où j'avais une chance de le trouver seul.

Je ne vous dis pas la lenteur de cette journée, ni l'aspect de mon gratin dauphinois... Quand la cloche a enfin sonné, j'ai foncé récupérer mon bagage et filé au labo, le cœur dans la gorge.

Il était là, seul, plongé dans un bouquin ; un spectacle à vous couper le souffle. Je suis restée figée sur le seuil à l'admirer, puis je me suis avancée doucement. Il ne m'a pas entendue. Comme guidée par une force surnaturelle, ma main a effleuré son épaule.

Il a tourné la tête :

— Oh, mais c'est notre coiffeuse rebelle !

— Ou... oui, ai-je couiné.

— Que puis-je faire pour toi ?

— J'ai trouvé ça dans la rue, à l'heure du déjeuner. Il y a ton nom écrit dessus.

— Génial ! Je croyais que je l'avais oublié au gymnase et qu'on me l'avait fauché. Super, merci ! C'est bizarre que tu l'aies trouvé dans la rue...

— Ben, peut-être que quelqu'un l'a vraiment fauché, et qu'il a eu des remords ?

Il m'a regardée d'un drôle d'air :

— Ouais. Très étrange. Vérifions s'il ne manque rien. Tiens ! De plus en plus curieux ! Tout est là, à l'exception d'une... chaussette !

(« Je suis fichue ! »)

— J'y suis. L'abominable voleur de petit linge a repris ses méfaits. Dès qu'il peut poser ses sales pattes sur un dessous en bon état, il ne recule devant rien.

Il souriait.

Je souris.

Je fondais.

Instant à graver dans ma mémoire pour me le rejouer indéfiniment...

Judy Fry a surgi dans la pièce, furieuse, rompant le charme.

— Regarde, Judy, mon sac a été retrouvé !

Si un regard pouvait tuer, si ses yeux avaient pu jaillir de leur orbite pour me brûler vive, ils l'auraient fait. Qu'importe ! Le plan B avait fonctionné. J'avais savouré « mon » moment. Enfin un succès !

La roue tourne, Alexa ! Il ne va pas aimer Judy toute sa vie, quand même.

Je vous embrasse,

Gilly.

P.S. Je rends mon essai demain. Vingt pages ! Dont un croquis du presbytère, et un portrait d'Emily, que j'ai peint à l'aquarelle.

Le 24 juillet

Chère Alexa,

Samedi après-midi. Maman était sortie chez une amie ; Rosalie travaillait chez ZAP. Papa bichonnait son carré d'herbes aromatiques. J'ai ouvert la fenêtre du salon et mis à plein régime la compilation des tubes des années soixante-dix que Sarryan m'a prêtée. Cachée derrière le rideau, j'ai observé la réaction de papa. Il s'est figé, son arrosoir à la main, le regard dans le vide. Ça marchait !

Je me suis allongée sur le canapé, mine de rien. Quelques minutes plus tard, il était planté devant la fenêtre :

— Dieu du ciel ! Où as-tu déniché ça ?

— C'est Sarry qui me l'a prêté. C'est très tendance. On joue ces vieux airs dans toutes les boîtes branchées.

— Ça alors ! Ce truc me ramène quelques années en arrière !

Moi, innocente, j'ai embrayé :

— Cette chanson te rappelle quelque chose, quelqu'un ?

— Tu parles !

Il a pris un air rêveur avant de lancer :

— Beryl Potts ! Beryl, dans la Ford Cortina de mon père. Ça, au moins, c'étaient des bagnoles !

En avant pour les souvenirs romantiques ! J'ai poussé le bouchon un peu plus loin :

— Papa, en quelle année tu as rencontré maman ?

— Oh, vers 1972, a-t-il grommelé.

Le charme était brisé. Il est reparti arroser le basilic.

Je dois approfondir mes recherches. La musique a démontré son pouvoir ; il ne me reste plus qu'à dénicher *le* slow de l'été 72.

Vous savez peut-être ça au journal, Alexa ?

Merci d'avance et bisous,

Gilly.

Le 26 juillet

Alexa,

Parfois, je me sens minable. Un gros tas sans intérêt qui pourrait disparaître de la surface de la terre sans que qui que ce soit s'en aperçoive. Je ne serai jamais jolie. Ni intelligente. Ni artiste. Ni rien. Maman a raison : je ne suis qu'une grosse flemmarde, un ver de terre insignifiant.

Tout ça parce que Rosalie est revenue de ZAP en hurlant qu'elle avait remporté le prix du meilleur message publicitaire pour la boutique. Son slogan va passer dans le journal local. J'aurais dû me réjouir pour elle. Mais pourquoi faut-il qu'elle réussisse tout ? L'écriture ne l'a jamais intéressée, et voilà qu'elle gagne un prix en alignant trois mots !

On aura les résultats de nos essais vendredi, le dernier jour de classe. Il faut que je gagne, Alexa ! Sinon, j'irai m'allonger au beau milieu du périphérique et attendre qu'on m'écrase comme une limace.

Désolée pour ce mot pessimiste,

Gilly.

Le 28 juillet

Très chère Alexa,

Vendredi soir. Je suis en vacances pour six semaines. J'imagine que vous êtes sur les dents, impatiente d'apprendre mes résultats. Je suis lessivée, mais je vais essayer de raconter les choses comme elles se sont passées.

On était censés avoir cours, mais les profs étaient aussi pressés que nous de s'envoler vers quelque destination exotique. Donc, personne n'a travaillé. La chaleur était suffocante. J'étais obsédée par mon classeur bleu. Je transpirais, me tortillais, en fixant les aiguilles de l'horloge qui se traînaient lamentablement. Tantôt, je me voyais monter sur l'estrade, radieuse ; tantôt, je voyais le cerveau d'Angleterre y monter à ma place. Pendant l'heure d'anglais, j'ai scruté Mme Goldstein, tentant de détecter un signe. Rien. Elle a juste déclaré :

— J'ai lu vos essais. Bon boulot, les filles ! Encore une petite heure de patience, et je vous libère.

Ensuite, on nous a rassemblés dans le gymnase — trois cents élèves en nage, excités par la liberté toute proche. Il y a eu des discours. Puis l'heure du Jugement dernier a enfin sonné. Mon cœur cognait comme un tambour : « Pourvu que ce soit moi ! Pourvu que ce soit moi ! »

Pennings n'en finissait pas de blablater sur l'excellent travail accompli ; *Les Hauts de Hurlevent*, un des meilleurs romans de la langue anglaise, comme si on l'ignorait ! Et que la décision avait été difficile à prendre, vu la qualité des textes rendus. Enfin, après des heures de délibération, le jury s'était mis d'accord et le prix était attribué à…

—Tracey Mann, pour son analyse lucide de l'œuvre d'Emily Brontë. Une maturité étonnante chez une élève de quatorze ans ! Bravo, Tracey !

J'ai cru que mon cœur allait exploser. Je songeais à mon poème dédié à Emily, à tout ce que j'avais mis de moi dans cet essai. À quoi bon s'investir à fond si tout est voué à l'échec ? Je me ratatinais, je me sentais comme une gamine de quatre ans, prête à éclater en sanglots. Pennings discourait toujours, mais je n'écoutais plus, engluée dans ma misère, quand, soudain, les mots « prix spécial » ont trouvé le chemin de mes oreilles.

— Cette année, annonçait Pennings, nous avons exceptionnellement décerné un prix spécial en raison de la qualité d'écriture. Cet essai n'a pas la finesse d'analyse ni la richesse documentaire de l'autre. Toutefois, il témoigne d'une grande sensibilité, d'un réel enthousiasme pour ce roman et son auteur, d'un *cœur* qui touche le lecteur. Et ce prix spécial est attribué à… Gillian Freeborn, pour « L'empreinte des pas d'Emily ».

Applaudissements ! Applaudissements pour Gillian Freeborn. Moi.

En une seconde, mon humeur a basculé. La tête haute, j'ai gagné l'estrade. Le sourire de Mme

Goldstein s'est élargi jusqu'aux oreilles. Même mon prof de maths applaudissait comme un malade.

De retour à ma place, j'ai examiné mon prix, un ouvrage relié de Jane Austen, *Orgueil et préjugés*, avec mon nom écrit à l'intérieur. Je me voyais déjà le montrer à maman et papa quand quelque chose m'a fait tourner la tête. Annie me regardait. Droit dans les yeux, pour la première fois depuis des mois. Je lui ai souri. Et elle m'a souri. J'étais aussi heureuse que le jour où j'avais retrouvé mon vieil ours en peluche.

En sortant, Sarryan et Emilie m'ont sauté au cou :

— Bravo, ça va clouer le bec à miss-je-sais-tout ! C'est clair, ils ont préféré ton essai au sien.

On s'est embrassées, on s'est promis de s'écrire pendant les vacances. Phyllis bavait plus que jamais, ce qui m'a fait fondre de tendresse. Soudain, j'ai entendu Mme Goldstein qui m'appelait :

— Eh bien, Gilly, je dois avouer que vous m'avez surprise. Ce que vous avez écrit là est très beau.

— Vraiment ?

— Vraiment ! Je ne me doutais pas que vous aviez un tel talent. On attend beaucoup de vous l'an prochain.

Alors, dans mon état d'exaltation, j'ai lancé :

— J'écris aussi des poèmes. Vous voulez les voir ?

Elle n'a pas eu la possibilité de refuser. J'ai extirpé mon carnet bleu de mon sac, le lui ai fourré dans la main, et ai détalé comme un lapin dans le couloir pour ne pas changer d'avis. Je planais littéralement entre ciel et terre.

J'ai foncé rassembler mes dernières affaires. Tout le monde était parti. Du moins, c'est ce que je croyais quand j'ai senti une présence dans mon dos.

— Salut ! a dit Annie.

— Salut !

— Je peux voir ton prix ?

Je lui ai tendu mon livre dédicacé. Elle l'a regardé, a rougi, sans piper mot. Aucune de nous n'a osé se lancer la première. Soudain, elle a lâché :

— Je suis désolée !

— Moi aussi !

Et on a éclaté en sanglots.

— Quelle idiote j'ai été, a-t-elle reniflé.

— Non, c'est moi qui me suis conduite comme une idiote.

— On était les meilleures amies du monde. Rien

n'aurait dû nous séparer. J'étais jalouse, stupide et jalouse.

Je l'ai serrée contre moi :

— Ça n'arrivera plus, d'accord ?

— Plus jamais !

— Je t'adore !

— Je t'adore aussi !

Je sais, Alexa, que ça sonne un peu mélo. J'espère que vous ne montrez mes lettres à personne. C'est mélo, mais *privé* et très important. Si je vous en parle à vous, c'est que j'ai besoin de dire à quelqu'un combien c'est fantastique de retrouver sa meilleure amie.

Papa et maman sont ravis de mon prix. On part demain. Direction : hôtel avec piscine et bain à remous. Une partie de moi se réjouit ; une autre se désole à la perspective de ces trois semaines sans la moindre chance de L'apercevoir. J'emporte la BOÎTE. Je l'ai cachée sous un drap de bain.

Je vous enverrai une carte postale.

Bisous,

Gillian Freeborn (prix littéraire !).

Hôtel Paradisimo-Alcudia-Majorque,
le 5 août

Chère Alexa,

Pleine de coups de soleil, je passe mes journées
à dormir à l'ombre. Dormir. Rêver. De LUI. Je le
vois venir à ma rencontre, flottant sur les vagues.
Ou bien, il m'enduit tendrement de crème
solaire, et je m'éveille, toute bizarre. Je sens sa
main sur ma peau. Alexa, les hommes éprouvent-
ils la même chose que nous ? Tout me semble si
étrange, et je suis si ignorante !

Bisous d'une écrevisse qui va bientôt peler de partout,

Gilly.

Hôtel Paradisimo, le 16 août

Chère Alexa,

Un mot rapide. Je me trouvais dans mon bain quand j'ai cru voir deux petits monticules galbés émerger de la mousse. Je n'ai pas voulu me réjouir trop vite. Je me suis regardée de profil dans la glace. Oui, il y a quelque chose !

Je vous écris dès que je rentre à la maison. Et, oh, Alexa, hier, un garçon m'a souri !

Bisous,

Gilly.

Le 23 août

Chère Alexa,

Ça y est ! Ils sont là ! J'ai des seins ! Ce n'est pas une illusion : ils existent, en rose et blanc. Maman dit que je n'ai pas encore besoin de soutien-gorge. J'en achèterai un quand même ; j'ai essayé en douce celui de Rosalie, et je n'avais pas l'air ridicule du tout. Alexa, vous vous rendez compte : je suis bronzée, et j'ai de la poitrine !

On est rentrés dimanche soir tard. Depuis, c'est la déprime. Rosalie, parce qu'elle a quitté son Juan, sa toute dernière conquête à Alcudia. Moi, parce que Brenbridge est triste à mourir après les splendeurs de l'Espagne, d'autant qu'il pleut.

En revanche, deux bonnes nouvelles. La première : une lettre de Sarry qui contenait un article. Ils ont imprimé notre lettre dans *L'Écho du soir* ! Ils ont pris leur temps, mais c'est bien là, noir sur blanc, avec nos noms. Même celui de Phyllis Bean est imprimé, la gloire ! J'ai hâte de voir la tête de ce vieux Pennings ! Maman a dit :

— Je ne savais pas que tu avais ces idées-là, Gilly !

Comme quoi, les gens vous connaissent mal !

Seconde surprise : une lettre de Tante Paula, qui nous annonce qu'elle se marie ! Pas avec ce crétin de Tom. Un certain Fred, dont personne n'avait entendu parler. Papa a ri aux éclats ; maman, tout sourires, ne cessait de répéter :

— Ça alors ! Il était temps ! Je parie qu'elle est enceinte !

— Et alors, pourquoi pas ? a dit papa.

Je pensais la même chose. Alexa, je vais avoir un cousin.

Le mariage a lieu dans trois semaines, à la campagne. Il me faut une robe neuve.

J'avais hâte de revoir Annie, mais elle est encore en France. Du coup, j'ai appelé Sarry : on se voit samedi. Plus que quinze jours de vacances !

Je vous embrasse fort,

Gilly (qui a des formes).

Le 27 août

Chère Alexa,

Encore dix jours. Dix jours avant de savoir si je
LE reverrai. C'est bien la première fois que j'ai
hâte de rentrer ! Il y a une autre raison : mes
poèmes. Je me demande ce que Mme Goldstein
en pense. Elle les a peut-être oubliés, ou jetés au
panier. À moins qu'elle ne les ait lus à son mari
pour le faire marrer. Oh, allez, il faut bien affronter
la vérité un jour ou l'autre. Au moins, j'ai mon
nom dans le journal.

On subit une vague de chaleur, pire qu'en Espagne. Hier soir, on a dîné dehors. Papa et maman se sont engueulés à propos du mobilier de jardin. Sur ce front, rien ne bouge. Je me dis parfois que je devrais fuguer. Incroyable qu'il faille envisager d'avoir recours à la délinquance juvénile pour obliger ses parents à se parler !

Figurez-vous qu'hier Sarry NE M'A PAS RECONNUE !

On avait rendez-vous à la cafétéria. Elle avait le nez dans sa coupe de pêche melba. Je me suis approchée en lançant : « Salut ! » Elle a levé la tête, répondu « Salut ! » et replongé le nez dans sa glace. Puis elle a sursauté et s'est écriée :

— Gilly, c'est toi ?

— Bien sûr que c'est moi !

— Tu as grandi ! Et tu as des seins ! a-t-elle hurlé.

— Chut !

Je ne voulais pas que toute l'assistance fixe les yeux sur ma poitrine, s'attendant à découvrir le Miracle Vivant de Trowton.

On s'est raconté nos vacances. Puis on a passé une demi-heure à rigoler en pensant à ce cher vieux Pennings. Enfin, mine de rien, je lui ai demandé si elle avait vu Judy Fry. Elle a répondu que non, mais qu'elle l'avait vu, LUI, seul, à la librairie.

Intéressant, non ?

À bientôt, pour d'autres nouvelles,

Gilly (méconnaissable).

1er septembre

Chère Alexa,

Enfer et damnation, Rosalie a LU MES POÈMES en cachette ! Je n'en dirai pas plus. Maintenant, je comprends les crimes passionnels. Maman l'a obligée à m'offrir son Wonderbra pour se faire pardonner. Je le lui ai jeté à la figure.

Gilly (humiliée à mort).

Le 6 septembre

Chère Alexa,

Vous avez beau dire que la vie des sœurs aînées
n'est pas toujours rose, je n'en crois pas un mot.
D'ailleurs, je suis encore trop furax pour en parler.

De retour à l'école, pour une autre année. On
est toutes en seconde, sauf la pauvre Phyllis, qui
redouble. Annie m'a trouvée changée. Emmy a
dit que mon bronzage mettait mes yeux en valeur.
Mais moi, obsédée par la vacherie de Rosalie,

j'attendais avec terreur le moment où je reverrais Mme Goldstein. Si elle se moquait, elle aussi, de mes poèmes ?

Du coup, j'ai mis un temps fou à m'apercevoir que Judy Fry n'était pas là. Kelly, qui habite à côté de chez elle, nous a expliqué qu'elle avait des boutons sur tout le corps. Ce serait une réaction nerveuse parce qu'IL l'a plaquée pendant les vacances. Que dites-vous de *ça* ? LUI, en tout cas, était là, encore plus grand, plus beau, brun comme un caramel. Un pur délice pour les yeux ; un régal pour l'âme. J'ignore s'il a remarqué mes seins, ou s'il m'a remarquée tout court. J'en doute.

Alexa, je ne vous dis pas dans quel état j'étais l'après-midi, à l'heure du cours d'anglais. Mme Goldstein, très bronzée, a rajeuni de dix ans. De bonne humeur, elle nous a raconté son voyage en Italie avec son mari, avant de nous prévenir qu'il allait falloir travailler dur cette année. Quand la cloche a sonné, elle ne m'a même pas regardée. J'ai ramassé mes affaires et j'ai suivi Annie vers la porte. Et là, j'ai entendu :

— Gillian, j'aimerais vous parler. Vous voulez bien rester une minute ?

J'ai dû rougir comme une tomate. Elle a sorti mon carnet de son sac en disant :

— Eh bien, Gillian, vous nous réservez un tas de surprises. D'abord votre essai, et puis cela.

— Hum ! ai-je fait en contemplant mes pieds.

— Certains de ces poèmes sont très bons. Il y a des idées charmantes. Franchement, ils m'ont fait sourire.

— Hum... Je n'avais pas l'intention d'être drôle...

— Je sais. Ce que je voulais souligner, c'est votre vision originale du monde. Très intéressant, vraiment.

— Vous êtes sincère, ou vous le dites pour me faire plaisir ?

— Vous me connaissez, ce n'est pas mon genre ! Il y a un rythme étonnant dans certains de vos vers. Les mots chantent.

Je vous jure, Alexa, elle a dit : « Les mots chantent. » Alors, je lui ai confié les commentaires sarcastiques de Rosalie. Elle a répliqué que les sœurs aînées n'étaient pas les mieux placées pour apprécier le talent des plus jeunes, et que je devais le comprendre. Je lui ai demandé de ne parler à personne de mes poèmes, parce que c'est mon secret et que je ne me sens pas prête à m'exposer aux yeux du public.

— Entendu ! Mais j'attends beaucoup de vous ce trimestre.

— Entendu !

Voilà, Alexa. On est trois à partager ce secret.

J'ai ma robe pour le mariage, bleue. Je vais écrire un poème pour Tante Paula.

Je vous embrasse,

Gilly Freeborn (poète).

Le 10 septembre

Très chère Alexa,

Je suis triste. J'ai comme l'impression que cette lettre sera la dernière. Vous devez attendre avec impatience le récit du mariage. Si vous saviez ! Je vous raconte tout, en détail, comme ça, vous le vivrez avec moi.

Donc, le grand jour arrive. On se lève tous tôt. Rosalie, à qui je n'ai pas adressé la parole depuis qu'elle a lu mes poèmes, débarque dans ma chambre :

— Salut, Gilly ! Si tu veux, je peux te maquiller. J'ai une ombre à paupières bleue qui ira très bien avec ta robe.

— Non merci, désolée ! Je ne tiens pas à ce que tu t'approches de moi ; tu risques de me contaminer.

Et toc ! On a sa dignité, non ?

Je passe la matinée au jardin à peaufiner mon bronzage. J'entends les parents se disputer dans leur chambre. Papa veut mettre son vieux costume en lin blanc. Maman rétorque qu'elle n'a aucune envie qu'il ridiculise sa famille... Tout le voisinage doit en profiter.

Quand arrive l'heure de se préparer, l'humeur générale n'est pas au beau fixe... Vous allez me prendre pour une sale hypocrite, Alexa : j'ai laissé Rosalie me maquiller. Toute l'histoire, c'est que je n'avais pas pensé aux chaussures. Et voilà que Rosalie me propose ses mules à talons — celles qu'elle préfère. Du coup, je décide d'enterrer la hache de guerre.

Ça me fait drôle de voir mon visage se métamorphoser : ce n'est plus tout à fait moi. En tout cas, l'effet est assez réussi, je dois dire.

J'enfile la robe bleue, je mets les mules. Je me

brosse les cheveux et vais m'admirer dans la glace du salon.

— Seigneur, Gilly, c'est bien toi ? s'écrie papa, stupéfait.

Je suis aussi surprise que lui. Pour la première fois de ma vie, je n'ai pas l'air d'un gros tas. Même mes jambes semblent plus longues !

Déjà une heure et quart, et maman est toujours dans sa chambre, sa garde-robe éparpillée sur son lit. Paniquée, sans lever les yeux, elle me lance :

— Oh, Gilly, je n'aime pas du tout mon nouvel ensemble. Avec cette jupe, je ressemble à une mémère mal fagotée. Je n'ai pas la moindre idée de ce que je vais porter !

Moi, je sais. Au fond de sa penderie, il y a cette robe ravissante en patchwork avec de fines bretelles et qui s'évase vers le bas. Je la lui tends :

— Mets ça !

— Impossible ! rit maman, c'est une antiquité ! Je ne l'ai pas portée depuis des années. Ça fait trop jeune pour moi !

— Absolument pas. Elle est géniale. Essaie-la.

— Juste pour rigoler, alors. Elle doit être trop juste.

Finalement, la robe lui va à merveille. Maman pousse de petits cris de plaisir, elle est magnifique !

— Waouh ! s'exclame Rosalie.

Problème réglé.

Le mariage civil est expédié en deux minutes. Tante Paula porte un caleçon noir et une liquette imprimée de manchots ! Le mystérieux Fred a un simple T-shirt sur un treillis hyper large, qui semble taillé dans un parachute. Curieuse tenue de mariage ! Maman murmure à mon oreille :

— Typique ! Elle est aussi givrée que ton père !

Pourtant, elle sourit.

La réception a lieu dans une grande maison de campagne. C'est une douce soirée de septembre, avec cette belle lumière et une brise tiède. Fred et Paula accueillent leurs invités sur le pas de la porte. Ils nous tendent une coupe de champagne ; même à moi ! Le buffet, naturellement, est végétarien. Sur chaque table, Tante Paula a posé une de ses bougies sculptées. La nôtre représente une sorte de champignon : à sa vue, papa, allez savoir pourquoi, hurle de rire.

Attention, Alexa, là, l'action se corse. Maman ôte sa veste. Papa cesse de rire. Il la contemple, les yeux exorbités. Elle est si jolie, toute menue et svelte dans sa robe aérienne. Elle envoie valser ses cheveux en arrière et me prie :

— Va me chercher un verre de vin, s'il te plaît, Gilly ! en adressant à papa un drôle de regard narquois.

Je me dirige vers le bar avec Rosie. Pas habituée aux talons, je marche à petits pas. Et là, Alexa, ouvrez grand les oreilles, car il se passe une chose folle, incroyable, inouïe. Accoudé au bar, en chemise noire et bermuda gris, une bière à la main, IL est devant moi. LUI. L'UNIQUE. Statufiée, je cligne des yeux, croyant rêver. Rosalie s'écrie :

— Tu as vu ce type ?

C'est bien lui. Jonathan O'Neil. Au mariage de Tante Paula. Seul. Et je panique, parce que Rosalie s'anime. Elle secoue ses cheveux, ses longs cheveux dorés, elle irradie. Malheur ! IL va avoir le coup de foudre.

— Tiens, Jonathan ! lance la voix de Tante Paula dans mon dos.

— Tu le connais ? s'écrie Rosalie.

— Un peu ! C'est le neveu de Fred ! Beau gosse, hein ! Venez que je vous présente !

Après, ça devient flou.

J'entends : « Ça alors, toi ici, quelle coïncidence ! » Puis Rosalie me tend un verre de vin :

— Va vite porter ça à maman, elle attend.

Et je les laisse. Malade. Anéantie.

Quand j'arrive à leur table, papa dévisage toujours maman sans un mot.

Je me réfugie dans un coin pour regarder les gens danser. Dont Rosalie et LUI. Dans ma tête tourne une rengaine moqueuse : « Na, na, na, nère ! Les dieux ne sont pas avec toi, Gilly Freeborn. L'amour n'a pas été conçu pour toi. Autant voir la réalité en face. »

Ça doit se voir sur ma figure, car Tante Paula m'apporte une seconde coupe de champagne :

— Tu sembles en avoir besoin. Dis-moi, tu es devenue ravissante ! Rosalie a intérêt à se méfier.

Elle est si drôle et chaleureuse que mon humeur remonte du trente-sixième au trentième dessous.

— Ta mère est très en beauté, ce soir, ajoute-t-elle. Pourvu qu'ils se rabibochent, ces deux-là !

Tu aurais vu Gordon quand il l'a rencontrée ! Il était fou d'elle. C'était la femme de sa vie.

Soudain, j'émerge de ma torpeur.

— Quelle était la chanson favorite de papa en ce temps-là ?

— Facile. Il était fan de John Lennon. Il adorait particulièrement « Imagine ».

— Tu pourrais leur demander de mettre ce disque, s'ils l'ont ? Fort.

Quelques instants plus tard, la chanson démarre. Je les observe de près. Papa a les larmes aux yeux. Enfin, il lance :

—Viens danser, ma belle !

Et il entraîne maman sur la piste. Je les regarde, enlacés, et je me dis que de ce côté, au moins, tous les espoirs sont permis. Mission accomplie.

Je vais m'asseoir dehors, sur les marches. J'écoute le vent. Je rêve. « Allez, courage, Gilly. Ta vie ne fait que commencer. Cesse de te lamenter sur ce que tu ne peux pas contrôler. Tu n'es pas *rien*, Gilly ! » J'ai la chair de poule. Le vent a fraîchi. Dans ma poitrine, je sens vibrer une émotion qui ressemble à de la joie.

La porte s'ouvre dans mon dos. Une main

douce effleure mon cou. Une voix, à peine audible, chuchote :

— Tu veux danser, drôle de fille ?

IL prend mon bras, on monte les marches, je pose ma tête sur son épaule. Une puissance fabuleuse m'envahit. Je pourrais décrocher la lune. Je me dis : « Quoi qu'il arrive ensuite, je m'en moque. Je peux gagner un prix. Je peux faire chanter les mots. » Emily aurait compris.

Je vous aime, Alexa. Merci pour tout.

Gilly.

Fin

Cet ouvrage a été composé et mis en pages
par DV Arts Graphiques à Chartres

Impression réalisée sur CAMERON par

BRODARD & TAUPIN

GROUPE CPI

La Flèche

pour le compte des Éditions Bayard Jeunesse
en février 2003

Imprimé en France
N° d'impression : 17300